NOTA DEL EDITOR

Este es el octavo volumen del increíble diario de Charlie Small. Lo encontró un jovencito en una silenciosa cueva al lado del mar. El chico estaba de vacaciones y deambulaba solo explorando la playa cuando vio la entrada de una pequeña cueva al pie de un abrupto acantilado. Cuanto más se adentraba en la cueva, más oscuro estaba y más nervioso se ponía. De repente, tocó una cosa húmeda y blanda con el pie, y soltó una exclamación de sorpresa. Observó con atención a pesar de la oscuridad y vio... un cuaderno completamente empapado. ¡Se trataba de otro diario de Charlie Small lleno de bocetos, esquemas y peripecias, además de sus últimas e increíbles aventuras! El jovencito no podía creerse la suerte que había tenido y regresó corriendo al hotel para leerlo. Entonces se dio cuenta de que había hecho un descubrimiento muy importante y nos lo mandó por correo sin perder tiempo.

Debe de haber otros cuadernos por descubrir, así que tened los ojos bien abiertos. Si os encontráis con algún curioso cuaderno con aspecto de diario, o si veis a un niño de ocho años con una mochila hecha polvo, por favor, poneos en contacto con el editor.

¡Creo que ya es hora de que me corte el pelo!

(y de que me bañe)

LAS
INCREÍBLES AVENTURAS DE CHARLIE SMALL (400)

Libreta 8

El bosque de las calaveras

pirueta

Título original: Charlie Small Journal 8. Forest of Skulls
© Charlie Small 2010
Primera publicación como Charlie Small: Forest of Skulls por Random House
Children's Publishers UK, un sello de Random House Group

Primera edición: abril 2013
© de la traducción: Carol Isern
© de esta edición: Roca Editorial de Libros, S.L.
Av. Marqués de l'Argentera, 17, Pral.
08003 Barcelona
www.piruetaeditorial.com

Impreso por Egedsa
Rois de Corella, 12-16 nave 1
08205 Sabadell (Barcelona)

ISBN: 978-84-15235-41-5
Depósito legal: B-4748-2013
Código IBIC: YFC

NOMBRE: Charlie Small

DIRECCIÓN: bosque de las Calaveras

EDAD: ¡Soy un niño de ocho años que ha vivido 400 años!

TELÉFONO MÓVIL: 077131238

ESCUELA: ¡hace siglos que no voy a la escuela!

COSAS QUE ME GUSTAN: ¡Jakeman y Philly; la ballena; Barcus y Renacuajo; mi papá!

COSAS QUE ODIO: Joseph Craik (mi mayor enemigo); la capitana Cortagargantas y Moho Jones; Apestoso, las ratas peludas y las comadrejas astutas.

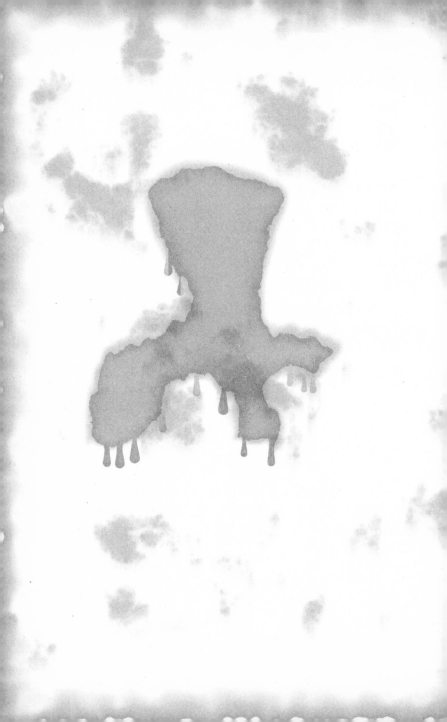

Si encontráis este libro, <u>POR FAVOR</u>, cuidadlo bien porque es la única narración verdadera de mis impresionantes aventuras.

Me llamo Charlie Small y tengo, por lo menos, cuatrocientos años. Pero en todos estos largos años no he crecido. Cuando tenía ocho años sucedió una cosa, una cosa que todavía no comprendo. Me fui de viaje... y todavía estoy buscando el camino de vuelta a casa. Ahora, a pesar de que he cruzado océanos montado sobre una ballena, de que he estado a punto de ser comido por unas horrorosas ratas gigantes y de que he vivido en las copas de los árboles de un bosque, continúo pareciendo un niño de ocho años cualquiera.

Me he enfrentado a un tejón rabioso en un combate mortal y he conducido un acorazado armadillo desbocado. Quizá penséis que todo esto son fantasías, quizá creáis que estoy mintiendo, pero os equivocaríais porque <u>TODO LO QUE SE CUENTA EN ESTE LIBRO ES VERDAD</u>. Creedlo y haréis el viaje más increíble que nunca hayáis imaginado.

Charlie Small

«Bienvenido a casa», exclamó Lizzie Hall

Prisionero de las perfumadas piratas. ¡Otra vez!

—¡Levad el ancla e izad la vela mayor! —bramó la capitana Cortagargantas mientras subíamos a bordo de su galeón.

La noche era oscura, pero la cubierta estaba tenuemente alumbrada con la perezosa y dorada luz de una hilera de faroles. Media docena de señoritas piratas corrieron hasta el cabrestante y empezaron a hacerlo girar. Los horribles tatuajes de sus brazos se retorcían por la acción de sus musculosos brazos al arrastrar el peso de esa enorme y pesada ancla.

—Bienvenido a casa, Charlie Small —exclamó Lizzie Hall.

—¡Sí! ¡Esta vez no tendrás escapatoria, perro desertor! —gruñó Sue *la Sable*, burlona, mientras la rueda empezaba a girar y la pesada ancla trepaba hacia el barco.

—No os preocupéis por eso —se jactó la capitana, cogiéndome de la muñeca con su enorme mano—. Este pequeño gusano no va a ir a ninguna parte. ¡Y ahora manos a la obra, apestoso montón de tripas de sardina!

Cuando el ancla estuvo levada, la vela mayor, manchada y medio rota, fue desplegada en el mástil mayor. El galeón viró aprovechando el empuje de una ola crecida, la vela se hinchó y nos dirigimos a mar abierto.

—Muy bien, queridas —bramó la capitana mientras el barco cortaba las olas levantando una espuma plateada a ambos lados de la proa—. ¡Salgamos a piratear!

Solté un profundo suspiro. ¡Maldición, maldición y mil veces maldición! ¿Por qué, oh, por qué tenía que pasar esto ahora?

¡Secuestrado!

Hacía solamente una hora que me encontraba a salvo y bien abrigado en la cama, en la fábrica de Jakeman, preguntándome cómo mi milagroso inventor me haría regresar a casa. (¡Llevo cuatrocientos años lejos de casa, y mamá todavía espera a que vaya a merendar!)

—No le des vueltas a la cabeza con eso, chico —me había dicho Jakeman con una sonrisa—. Desde que te prometí que te haría regresar a casa, he estado trabajando en varios inventos. Algunos no han funcionado del todo, ¡y otros han sido un completo fracaso! Pero ahora creo que lo he conseguido: te disparé con un cañón y te haré pasar a través de mi Arco Aniquilador de Átomos, lo cual te llevará directamente al mundo del que viniste.

—¿Me dispararás con un cañón? —pregunté, un tanto preocupado—. ¿Estás seguro de que este invento es seguro?

—Bueno, nunca se puede estar convencido al cien por cien en este juego, Charlie. Lo único que sé es que disparé una cochinilla a través del arco, y desapareció y no regresó nunca más. Si mis cálculos son correctos, debe de haber ido a tu mundo.

—¿Y qué sucede si tus cálculos no son correctos? —tartamudeé—. ¿Y si la cochinilla acabó en alguna estrella distante y habitada por unos monstruosos marcianos de ojos saltones? ¡Eso me podría pasar a mí!

—Bueno, no te preocupes tanto. Estoy seguro de que eso no va a suceder —repuso Jakeman—. Ahora vete a dormir, y por la mañana te enseñaré el Arco a Ninguna Parte de Jakeman.

Un marciano de ojos saltones

Yo estaba muy cansado después de haber navegado sobre las olas durante todo el día con el submarino aerodeslizador y de haber luchado contra los dos estúpidos guardaespaldas de Tristam Twitch. Así que subí las escaleras hasta el piso superior del almacén y me metí bajo las sábanas manchadas de aceite de la cama que Jakeman me había preparado.

No llevaba ni una hora en la cama cuando oí un fuerte ruido. Hasta ese momento había estado escribiendo en mi diario, preguntándome si realmente regresaría a casa al día siguiente o si acabaría en otro mundo desconocido, cuando oí un bronco aullido procedente del pasillo.

—¿Dónde estás, Charlie Small?

«¡Oh, no! Me parece reconocer esa voz —pensé—. Es la temible pirata, la capitana Cortagargantas! ¿Qué demonios está haciendo aquí?»

—Vamos, no sirve de nada que te escondas, chico. ¿Dónde estás? —gritaba.

¡Socorro! Desesperado, alargué la mano para coger mi alfanje cuando la puerta de mi habitación se abrió con un fuerte crujido... y ahí estaba la misma Cortagargantas, el doble de fea y el triple de malvada que la última vez que la vi. Su enorme rostro de nariz chata se deformó en una sonrisa que descubrió una hilera de dientes negros.

—Quédate donde estás, gusano llorón y narigudo —bramó—. ¡Si tocas ese alfanje, te abro en canal para ver qué has cenado!

—Lárgate, Cortagargantas —repliqué, aunque no me sentía ni la mitad de valiente de lo que pretendía—. ¿Qué es lo que quieres?

—A ti, pequeño bribón —dijo con voz ronca y grave—. ¡Ya es hora de que regreses y retomes tus deberes como pirata!

—¡No hablas en serio! —dije—. No pienso volver a robar y a saquear para ti otra vez.

La capitana Cortagargantas cruzó la habitación, cogió mi alfanje y se golpeó la rodilla con él. Luego me agarró por el cuello de la camisa y me levantó en el aire.

—Nada de replicarme, chico —graznó—. No te olvides de con quién estás hablando. Y ahora, prepárate. Te espero abajo dentro de cinco minutos. Tenemos a tus amigos bien atados, así que no intentes hacernos ninguna treta.

Entonces la pirata salió y cerró la puerta de un portazo. Oí el sonido de sus pesadas botas alejarse por el pasillo.

¡Pirata otra vez!

Presa del pánico, me vestí. Me puse mi gastado pantalón vaquero y mi camiseta agujereada. Lo último que quería era volver a ser un pirata, pero pensé que era mejor que me preparara para lo peor, así que guardé todo lo que pudiera necesitar en el equipo de explorador de mi mochila. Luego, un tanto nervioso, bajé las escaleras. Dejé atrás pisos y pisos de maquinaria desmontada y recorrí pasillos repletos de viejos cofres abiertos y llenos de enormes esquemas de ingeniosos inventos.

Cuando llegué al final de la escalera, entré en el taller principal y allí vi a la capitana Cortagargantas y a una de sus esbirras. Con ella se encontraba Rawcliffe Annie, otro de los temibles miembros de la banda de las perfumadas piratas. Era dura como un nogal y tenía una nariz que parecía un hacha y que ella utilizaba para abrir cocos.

—Vaya, aquí está mi viejo compañero Charlie Corazón Negro —exclamó—. ¿Cómo está el pirata más buscado de todos los mares? Oh, ¿no sabíais que a vuestro mejor amigo lo buscan en dos continentes? —añadió, mirando hacia sus pies.

Entonces vi a Philly y a Jakeman, atados con

una larguísima cuerda en el suelo. Les había puesto unas mordazas en la boca.

—¡Mmm, mmm, mm! —protestaba Philly, mirando con el ceño fruncido a la pirata.

—Sí, ya lo sé, es terrible, ¿verdad? —continuó Annie—. No es un compañero muy aconsejable para una jovencita buena y guapa como tú. Pero no debes preocuparte... no tendrás que aguantarlo nunca más. Va a venir con nosotras.

—No, lo siento, he cambiado de opinión —dije, cruzando los brazos sobre el pecho con actitud desafiante—. No pienso ir a ninguna parte con vosotras.

—Oh, claro que vas a venir, Charlie —intervino Rawcliffe Annie, levantando su prominente barbilla.

—¡No!

—¡Sí, vas a venir! —bramó Cortagargantas, cogiéndome violentamente de la muñeca y arrastrándome a su lado—. Te he dicho que no quiero que me des más problemas, mequetrefe.

¿O es que quieres que les rebane el cráneo a tus amigos, como si fueran dos huevos pasados por agua? —dijo, haciendo silbar el alfanje sobre su cabeza.

—¡No! —grité—. ¡No lo hagas! —Sabía que la capitana Cortagargantas podía ser una pirata sedienta de sangre si algo se interponía en su camino—. Iré con vosotras, pero dejadlos en paz. ¿Qué es lo que quieres de mí?

—Tú eres un pirata hecho y derecho, chico; y cuando uno ha firmado el código pirata, uno es un pirata para siempre; nadie escapa de esta hermandad, ni siquiera un niño bueno y escuálido como tú. Por cierto, ya me puedes dar esa mochila —exigió Cortagargantas.

—¡Ni pensarlo! —grité—. No te vas a quedar con mi equipo de explorador. Lo necesito para regresar a casa.

—¿Es que no lo comprendes, inútil saco de huesos? No vas a regresar a casa nunca —bramó la capitana, soltando un puñetazo sobre el banco de trabajo que tumbó un alto microscopio de latón—. ¡Y ahora dame esa mochila antes de que haga algo terrorífico!

Me quité la mochila y se la di. La capitana Cortagargantas la depositó encima del banco, cogió el microscopio y, con él, aplastó los mandos que controlaban los propulsores del fondo de la mochila. Los mandos emitieron un zumbido y soltaron varias chispas, y una pequeña columna de humo se elevó en el aire.

—¡No! —grité, mientras Cortagargantas me devolvía la mochila estropeada—. ¿Cómo sabías eso?

—Oh, no hay muchas cosas que se me pasen por alto, golondrino pusilánime. Lo sé todo acerca de tu milagrosa mochila-cohete. ¡Ahora no podrás salir volando cuando te apetezca!

¡Maldición, maldición y mil veces maldición! Mamuk el pastor de renos me había regalado esa mochila-cohete por haberle rescatado de los bandidos salvajes. Ahora no era más que una mochila normal y corriente.

—Mmm, mmm, mmm —se esforzaba Philly, balanceándose de un lado a otro e intentando soltarse de las ataduras—. ¡Mmm, mmm, mmm!

—¿Intentas decirnos algo? —preguntó Cortagargantas, quitándole la mordaza.

—Llevadme a mí en lugar de a Charlie —dijo Philly, sin aliento—. Dejadle regresar a casa, con su mamá y su papá.

—¡No, Philly! —grité. ¡Estaba asombrado de su fidelidad de amiga: estaba dispuesta a entregar su libertad para salvarme!—. Nunca podría dejar que hicieras eso.

(Ved mi diario El Desfiladero Congelado)

—¡Callaos! —cortó la capitana Cortagargantas—. Eso no es cosa vuestra. Y ahora, dejadme pensar un momento... —Se rascó la barbilla con la palma de su manaza—. ¡No! Me llevaré a Charlie —afirmó—. Él y yo tenemos algunos asuntos inconclusos, ¿no es cierto, chico?

Tragué saliva y asentí con la cabeza.

—Supongo que sí —respondí—. Pero, por lo menos, desata a mis amigos antes de marcharnos.

—¡Ja! No nací ayer, Charlie —se burló Cortagargantas—. No creerás que voy a liberarlos para que puedan seguirnos en ese nuevo barco cangrejo vuestro, ¿verdad? —Al ver mi expresión de sorpresa, rio—: ¡Oh, sí, también lo sé todo sobre ese crustáceo submarino aerodeslizador! Tengo espías por todas partes.

—Por lo menos deja que le dé a Charlie un recuerdo —dijo Philly.

—¿Un recuerdo? ¿Qué clase de recuerdo? —preguntó Cortagargantas con expresión suspicaz.

—Solo una pequeña cajita, para que no me olvide. Está en ese banco, allí —dijo mi amiga.

Me sentí conmovido de que Philly quisiera hacerme un regalo. Cortagargantas cogió una cajita que había encima del banco de trabajo. Era muy sencilla y solamente tenía una flor nomeolvides pintada en la tapa. La capitana la abrió: estaba vacía.

—No vale nada —se burló—. ¿Por qué le quieres dar esto? ¿Es que es tu noviete o algo parecido?

Esto es un boceto de la cajita que Philly me dio

Me pregunto por qué querrá que la tenga

—Solamente es un recuerdo —suspiró Philly—. ¿Es que tú nunca le has regalado nada a nadie?

—¡No! —repuso la capitana.

Cerró la cajita y me la lanzó. La cogí y le di la vuelta en todos los sentidos. Era una cajita completamente común, y me pregunté por qué Philly había querido dármela.

—Gracias, Philly —dije, guardándomela en el bolsillo.

—Bueno, venga, Charlie, tenemos que irnos —dijo la capitana Cortagargantas.

Se sacó una larga cadena de debajo del abrigo, me cogió del brazo y, con un rápido movimiento, me colocó una argolla en la muñeca. El otro lado de la cadena estaba sujeto a su cinturón.

—Solo por si se te ocurre intentar escapar —dijo—. Y recuerda lo que te he dicho. Nada de

14

bromitas, o esta vez te mandaré al fondo del mar.

—Adiós, Jakeman. Adiós, Philly —me despedí, triste, mientras me empujaban a través de las puertas de la fábrica.

La noche era cálida, y el aire estaba cargado con el olor del brezo y de la sal marina.

—Anímate, Charlie —rio Rawcliffe Annie—. ¡Vuelves a ser un pirata!

«Oh, genial —pensé—. ¡Esto es justo lo que necesito!»

El espantoso galeón

Mientras la luna salía por detrás de un banco de nubes, Cortagargantas y Annie me conducían por las cimas de unas colinas arrasadas por el viento. Penetramos en una maraña de altos tojos que había al borde del acantilado y, justo cuando creía que me iban a lanzar al vacío, saltamos a un agujero que quedaba oculto por unas altas matas de hierba y salimos a un estrecho camino que recorría la pared del acantilado. Avanzamos en fila india por el estrecho camino y nuestros pasos desprendían lluvias de piedras que caían sobre las rocas de abajo. El traidor sendero serpenteaba a un lado y a otro en su descenso por el acantilado. Yo me iba sujetando a la pared de roca como si fuera una lapa, temiendo que la tierra fuera a desmoronarse bajo mis pies en cualquier momento, pero, al final, llegamos a una pequeña playa de guijarros que se hallaba al pie del acantilado.

Ese rincón quedaba oculto en las sombras. Las olas del mar rompían a nuestro alrededor y las fantasmales sombras de las gaviotas cruzaban el aire sobre nuestras cabezas lanzando penetrantes chillidos. Mis captores me empujaron hasta un saliente de rocas. La espuma que levantaban las olas me empapó al momento, pero rápidamente me hicieron subir a un bote atado a una oxidada argolla clavada en la roca.

—Arriba —dijo la capitana.

Todavía sujeto por esa pirata fanfarrona, salté al interior del bote. Al momento, Annie se puso a remar y el bote empezó a avanzar peligrosamente por entre las afiladas rocas de la costa. Cuando salimos a mar abierto pude ver el galeón de las piratas, que se encontraba a unos cien metros de distancia de la costa.

Al verlo, tuve que reprimir una exclamación

de sorpresa, pues esperaba encontrarme ante los ojos el *Betty Mae*, nuestro viejo barco; pero rápidamente recordé que había encontrado su casco, destrozado, en Subterránea. ¡Y lo que vi me causó tal sorpresa que los ojos casi se me salieron de las órbitas!

El nuevo galeón de las perfumadas piratas era la masa de chatarra más increíble que yo había visto en mi vida. Parecía un montón de basura con velas. El casco estaba hecho completamente de metal: trozos de lata, hierros oxidados y planchas rotas habían sido ensamblados de la manera más extravagante. En algunas partes, el metal brillaba bajo la luz de la luna; pero casi todo el casco se veía oxidado y ennegrecido. ¡Era una visión medio cómica y muy, muy, terrorífica!

—¿Qué te parece nuestro nuevo hogar, Charlie? —preguntó la capitana con tono orgulloso—. Lo hemos construido nosotras mismas.

—Ingenioso —repuse.

—Tuvimos que abandonar el *Betty Mae* después de un malentendido con la Marina Pangeática. Así que construimos uno hecho de metal. Es una fortaleza flotante imposible de hundir, y el galeón mejor armado de todos los mares. ¡Nada puede detenernos!

(ved mi diario *El mundo subterráneo*)

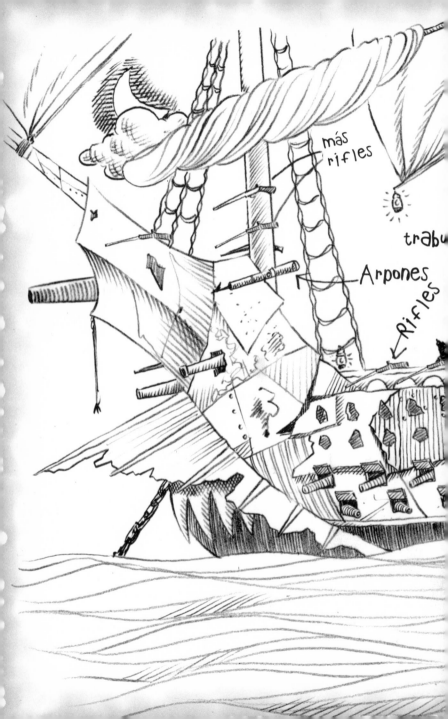

Cuando nos acercamos, comprendí lo que la capitana Cortagargantas quería decir: en cada rincón libre habían montado un rifle; filas de cañones sobresalían de los laterales del casco y muchos más habían sido instalados en la cubierta; trabucos, arpones y fusiles habían sido atados a mástiles y barandillas. ¡El barco estaba repleto de armas! Cuanto más nos aproximábamos a esa negra y oxidada carraca, más terrible parecía.

—La bautizamos *El día del Juicio* porque eso es lo que parece ser cuando uno se cruza en su camino —dijo la capitana sonriendo.

Tragué saliva: aunque ese barco parecía un montón de basura, ¡era terrorífico!

—¡Eh, a bordo! —gritó la capitana Cortagargantas—. ¡Vamos a subir!

De inmediato, una escalera de cuerda se descolgó por uno de los costados de la nave y todos subimos a cubierta. Luego izaron el bote con cuerdas y poleas y, por primera vez en muchos años, me encontré prisionero a bordo de un barco pirata. ¡Oh, socorro!

Ahora acabamos de levar el ancla y avanzamos por el ancho e infinito océano. Me han llevado a mi camarote: una diminuta habitación que se encuentra en la cubierta inferior y que tiene una única portilla cortada en el metal del casco.

La habitación está vacía: solo hay un baúl de hojalata para guardar cosas y una hamaca comida por las polillas que cuelga de dos ganchos en la pared. Al lado de la puerta hay un candelabro que ilumina débilmente la estancia y que deja las esquinas sumidas en una inquietante sombra. Oh, qué agradable, ¡hogar, dulce hogar! Por lo menos no huele tan mal como el viejo *Betty Mae*.

Estoy poniendo al día mi diario y, cuando termine, dormiré un poco. Un desaliñado bucanero está montando guardia al otro lado de la puerta, así que esta noche no podré huir. Pero, por la mañana, empezaré a pensar en la manera de escapar. ¡No quiero pasar más tiempo del necesario con estas malignas piratas!

Continuaré escribiendo cuando pueda...

Moho Jones

¡Oh, vaya! Nunca adivinaríais dónde estoy ahora. Estoy sentado encima de... ¡no! Será mejor que lo cuente todo desde el principio...

A primera hora de la mañana siguiente, me despertó un golpe en la puerta. Había pasado toda la noche dando vueltas, incapaz de sentirme cómodo en esa áspera y retorcida hamaca, e inquieto por el ruido del mar al golpear el casco de metal del galeón. Cada vez que conseguía adormecerme, me despertaban el ruido de las piratas en cubierta y los chirridos y chillidos de unas ratas de ojos rojos que correteaban debajo de mi hamaca.

—¿Qué quieres? —pregunté, todavía dormido.

La puerta se abrió con un crujido, y una pirata a quien yo no había visto nunca entró en el camarote. Era una pirata alta y delgada como un sarmiento, arrugada y vieja, con el pelo grasiento y largo que le caía sobre los hombros en mechones que parecían colas de rata. Llevaba puesto un delantal sucio y asqueroso, y todo el rato le caían los mocos de la nariz, que se secaba con la manga. Sujetaba un puro entre los dientes, marrones, y a su paso dejaba un reguero de ceniza en el suelo.

—Levántate. La capitana quiere verte —farfulló con voz resfriada.

—¿Quién eres? —pregunté—. ¡Tú no eres una de las piratas perfumadas!

—¿Y qué? —replicó, soltando un escupitajo de tabaco en el suelo—. Soy Moho Jones, la nueva cocinera del barco, si es que eso es asunto tuyo.

¿Una cocinera? ¡De repente, se me quitaron las ganas de desayunar!

Aquí tenéis un boceto de la asquerosa gastrónoma:

Moho Jones

—¡Vamos, chico, muévete o terminarás dentro de mi sartén!

Salté de la hamaca, cogí mi mochila y seguí a esa delgaducha pirata por el pasillo.

—Es hora de saber lo que la capitana te tiene reservado —dijo Moho, volviendo a escupir en el suelo—. Sea lo que sea, puedes estar seguro de que no será muy agradable. ¡Jee, jee!

Las piratas estaban ocupadas con sus tareas, así que apenas levantaron la cabeza mientras cruzábamos la cubierta en dirección al camarote de la capitana. Al llegar, Moho llamó a la puerta.

—El chico está aquí, capitana —anunció.

Pero antes de que obtuviéramos respuesta, oímos un ronco bramido procedente de la cofa mayor.

¡Chorro a la vista!

—Oh, bien, bien, ñam, ñam —hizo Moho, sonriendo.

—¿El qué a la vista? —pregunté—. ¡Ay!

La puerta de la capitana se había abierto de golpe y me había tumbado al suelo.

—Levanta, perezoso inútil —gritó Cortagargantas, pasando por encima de mí con gesto avasallador. Su rostro mostraba una gran excitación—. No es momento de descansar. Vamos a necesitar todos los brazos disponibles.

El leviatán

Todavía un poco mareado, subí detrás de la capitana hasta la cubierta de la toldilla. Toda la tripulación se había precipitado a un lateral del barco y señalaban hacia el mar con gran excitación.

—A los arpones —bramó la capitana Cortagargantas.

De inmediato, algunas de las piratas se separaron del grupo y se posicionaron detrás de tres arpones balleneros que había en cubierta. Uno de ellos se encontraba delante y los otros dos, a cada lado de *El día del Juicio*. Eran unos arpones terroríficos, con unas enormes y mortíferas puntas de hierro.

Uno de los arpones balleneros

—¿Qué pasa? —pregunté, confundido, pues no había podido ver nada al otro lado del grupo de piratas.

—La cena, eso es lo que pasa —masculló la cocinera, relamiéndose los labios.

Al oírla, la tripulación soltó gritos de alegría.

—Apartaos, ineptos —dejad que el perro vea el conejo.

La tripulación se movió a un lado y miré hacia el mar. ¡Estaba vacío!

—Pero no hay nada —dije.

—Es una ballena, imbécil —se burló Moho—. Está a un kilómetro y medio. Acaba de sumergirse, pero volverá a salir, no lo dudes. ¡Eso significa que tendremos sabrosos filetes de ballena, aceite de ballena para vender y, con suerte, un buen trozo de ámbar gris para ofrecer en subasta al mejor postor!

—¿Qué es el ámbar gris? —pregunté.

—¿Es que no sabes nada? —rugió la capitana Cortagargantas—. Es una cosa parecida a la cera que solo se encuentra dentro de las ballenas. Se utiliza para fabricar perfumes para la gente rica que tiene más dinero que cabeza. Podría pagar el rescate de un rey. Abriremos en canal a ese monstruo y todo lo que no queramos se lo comerán las gaviotas.

En ese momento, el mar se abrió y se oyó un ruido terrorífico. La ballena salió a la superficie y ahora se encontraba a solo unos quinientos metros del barco.

—¡Uau! ¡Es monstruosa! —exclamó Moho—. Una maldita ballena enorme.

—Es magnífica —dije, admirando el enorme

chorro de agua que el animal expulsaba al aire.

Su imponente cabeza era tan grande como la cabina de un camión, y estaba cubierta de cicatrices, golpes y verrugas. Su espalda se curvaba en un gran arco hasta una pequeña aleta y, a partir de ahí, descendía hasta la cola, debajo del agua.

Cogí el telescopio de mi mochila y lo dirigí hacia ese gigante gris. Desde el morro hasta la cola era casi tan grande como nuestro barco. Nunca había visto un animal tan hermoso. Por un breve instante me pareció que uno de sus ojos me miraba directamente, y sentí un escalofrío de emoción. Entonces la ballena metió la cabeza bajo el agua y volvió a sumergirse. Su cola, grande como la vela de un barco, se levantó en el aire y luego penetró en el agua con un sonoro chapoteo.

—Afila tus cuchillos, cocinera —gritó la capitana—. ¡La comida está servida! ¡Izad todas las velas, inútiles!

Todas las piratas corrieron a sus puestos e izaron todas las velas para iniciar la caza.

¡Uau, es monstruosa!

A la caza de la ballena

Al cabo de unos minutos, la ballena volvió a salir a la superficie. Pero se encontraba más lejos y huía a toda velocidad.

—¡Moveos, sepias calcificadas, o la perderemos! —ordenó Cortagargantas.

Lizzie Hall cogió el timón y dirigió la nave hacia la ballena. Las arponeras prepararon sus armas y sacaron los corchos de protección. Moho se colocó detrás de una gran piedra de afilar y sonreía al ver que la cubierta se llenaba de chispas de acero. Las velas se hincharon con una súbita ráfaga de viento y el barco salió disparado tras esa hermosa y monstruosa ballena.

—¡No podéis destruir a una criatura tan magnífica! —le dije, gritando, a Cortagargantas.

—¿Me estás diciendo lo que debo hacer, chico? —rugió, cogiéndome por el pescuezo—. Escúchame, gusano. Yo soy la capitana de *El día del Juicio*, no tú. Así son las cosas.

Y, como si yo no pesara más que una pluma, me levantó por encima de la cubierta, dejándome suspendido sobre las altas olas.

—¿Está claro, anémona descerebrada?

—Sí, comprendo —gemí, asintiendo.

Entonces la capitana volvió a dejarme en el suelo de cubierta.

—Bien —gruñó—. No tengo tiempo para tus tonterías. Vamos a sacarle las entrañas a esa ballena, ¿me has oído? Solo con su ámbar gris podremos llenar de oro nuestros cofres. Lo que obtendremos de su aceite nos proporcionará ron durante un año y sus filetes nos llenarán bien el estómago. Y ahora, apártate, mariquita, si no quieres acabar siendo guarnición de filete de ballena.

El animal volvió a soltar otro chorro de agua. Le íbamos ganando terreno poco a poco. A pesar de las amenazas de Cortagargantas, yo había tomado una decisión. No estaba dispuesto a quedarme de brazos cruzados mientras hacían filetes con ese animal.

Pero ¿cómo demonios iba yo a salvar a una ballena de diez toneladas?

Una historia terrible

Mientras me devanaba los sesos en busca de inspiración, la capitana Cortagargantas iba de un lado a otro de la cubierta en un estado de excitación incontrolable. Y entonces, antes de que se me ocurriera un plan para salvar a la ballena, la capitana saltó a las jarcias y bramó:

–¡FUEGO!

Las piratas dispararon sus arpones, que, atados a unas cuerdas, surcaron el aire con

terribles silbidos.
¡Fiuuu! ¡Fiuuu! ¡Fiuuu!
Dos de ellos fallaron el
blanco por completo, pero uno
se clavó sobre la espalda del pobre
animal. La pirata sujetó la cuerda con firmeza y la ató rápidamente alrededor de una cornamusa. Ahora la ballena estaba atada al barco.

El leviatán levantó la cabeza, abrió su enorme boca y emitió un largo grito de angustia. Tenía la boca tan grande que habría podido tragarse un autobús entero, y la tenía llena de unos dientes largos como losas.

–Oh, fantástico. Obtendremos un montón de dinero por esos dientes, también –exclamó con una risita Annie.

Las piratas soltaron grandes carcajadas.

—¡Cerdas! —grité—. ¿Por qué no la dejáis en paz?

—¿Crees que esto está mal? —preguntó Cortagargantas—. Un arpón no es más que un palillo de dientes para un monstruo como ese. Pero cuando hayamos acabado con ella, parecerá un erizo.

«No, si yo puedo evitarlo», pensé.

De repente, el galeón se vio arrastrado hacia delante y todos nosotros caímos al suelo de la cubierta. La ballena había acelerado su huida entre las olas en un desesperado intento por escapar, y nuestro barco la seguía, atado a ella por la cuerda del arpón atada a la cornamusa.

—Sujetaos bien, vamos a lanzarnos a la carrera —gritó la capitana Cortagargantas, emocionada.

La fuerte ballena tiraba de *El día del Juicio* con una fuerza descomunal, arrastrando el barco cada vez a mayor velocidad hasta que el galeón empezó casi a patinar sobre las olas.

El barco siguió avanzando arrastrado por ese pez monumental a través de las brillantes aguas del océano hasta que la ballena, incapaz de deshacerse de nosotros, de repente, se sumergió. ¡Bajaba y bajaba, y arrastraba a nuestro galeón con ella!

—¡Mil millones de peces espada! Preparaos para cortar la cuerda, o estamos perdidas —ordenó la capitana al ver que el agua empezaba a penetrar en el barco.

Sue *la Sable* desenfundó su daga, pero justo cuando iba a cortar la cuerda, la enorme ballena salió a la superficie otra vez, completamente agotada, y nuestro galeón se salvó. Ahora la pobre ballena se movía muy despacio, y ya casi le habíamos dado caza.

—Volved a cargar los arpones —ordenó Cortagargantas.

«Tengo que detener esto ahora —me dije—, antes de que la pobre ballena acabe como un cojín de alfileres flotante.» Mientras el barco se acercaba a ese gigante, comprobé que tuviera la mochila bien sujeta a mi espalda y, sin saber del todo lo que iba a hacer, eché a correr por la cubierta. Pasé al lado de la capitana, cogí la empuñadura de su brillante alfanje y se lo quité.

—¡Eh, devuélveme eso, pequeño renacuajo!

—bramó la capitana alargando la mano para cogerme por el pescuezo.

Pero no fue lo bastante rápida.

—¡Al ataque! —grité, saltando por encima de la barandilla de cubierta hacia la espalda del leviatán.

—¡Ven aquí, loco! —gritó la capitana—. ¿A qué te crees que estás jugando?

—¡Uau! —exclamé.

Había caído sobre la escurridiza espalda de la ballena y patinaba por encima del animal hacia el remolino de olas del mar. «¡Socorro! —pensé—. ¡Estoy acabado!» Pero, en el último momento, conseguí agarrarme al arpón que el animal tenía clavado en la gruesa piel.

Las piratas me miraban desde el barco con sorpresa y asombro. Me puse en pie y, con un único golpe de alfanje, corté la gruesa cuerda que unía a la ballena con el galeón. De inmediato, el animal se alejó del barco y, con renovada energía, se lanzó a la carrera de nuevo, huyendo, conmigo a sus espaldas y agarrado al arpón. De repente se sumergió, y yo con ella. Descendimos hacia las profundidades del mar y, al cabo de un momento, el pecho ya me quemaba por la falta de oxígeno y los oídos me dolían a causa de la alta presión del agua.

Mientras bajábamos, la ballena emitía un largo y penoso grito que pareció llenar todo el océano. Luego dio media vuelta y volvimos a elevarnos hacia la superficie. Yo me agarré al arpón con todas mis fuerzas: sentía los latidos de mi propio corazón y todo a mi alrededor estaba lleno de burbujas.

Sobre mi cabeza vi la sombra de *El día del Juicio*, a la que nos íbamos ac ercando rápidamente. «¡Oh, no! –pensé–. ¡Vamos a chocar!» La ballena se precipitó contra el galeón, y la fuerza del golpe hizo que estuviera a punto de soltarme de mi asidero.

La enorme ballena se sumergió

La ballena salió disparada como un cohete

Fondo del galeón

Oí el chirrido del metal del casco al romperse y, enseguida, en medio de una cascada de burbujas, salimos a la superficie de nuevo. Inhalé desesperadamente mientras la ballena nadaba a toda velocidad alejándose del barco. «Gracias al cielo que todo ha acabado», pensé, recuperando la respiración. Pero la ballena no había terminado: utilizando la cola a modo de timón, volvió a dar media vuelta y se precipitó hacia el galeón para golpearlo otra vez.

—¡Socorro! —grité, mientras nos precipitábamos hacia el barco como una bola gigantesca lanzada contra una hilera de bolos.

De repente vi que montones de ballenas emergían de las profundidades del mar y nadaban a nuestro lado. ¿Habían respondido a la llamada de la ballena? ¡Ahora me encontraba en medio de un ejército marino que se había lanzado al ataque! En ese instante empezó a caer sobre nosotros una lluvia de arpones. Las piratas, aterrorizadas, disparaban sin cesar, pero a causa del miedo no apuntaban bien y los arpones caían al agua sin hacernos ningún daño.

—¡Detenlas, Charlie! —bramó la capitana, de pie en cubierta, en medio de la pasmada tripulación que observaba el avance del ejército del ballenas.

—¡No sé dónde están los frenos! —grité.

¡BUM! Golpeamos el galeón otra vez.

¡BUM! ¡BUM! ¡BUM! Las ballenas lo atacaban desde todas las direcciones y, al final, ¡ping! ¡ping! ¡ping!, los remaches que sujetaban las partes de *El día del Juicio* empezaron a romperse, y unos grandes trozos de metal se desprendieron del casco.

—¡Mil millones de medusas! ¡Esto es el fin! Todas a los botes salvavidas —gritó la capitana Cortagargantas, mientras el agua del mar penetraba en el barco por todos los agujeros.

Entonces, mirando hacia mí, bramó–. ¡No olvidaré esto, Charlie Small! ¡Has hundido mi barco invencible! ¡Si nos volvemos a encontrar, te abriré en canal!

–Pero no ha sido culpa mía –exclamé–. ¡Yo no estoy dirigiendo a este animal!

Antes de que Cortagargantas tuviera tiempo de responderme, la ballena dio media vuelta y *El día del Juicio* se escoró en el agua. Oí que Rawcliffe Annie gritaba con todas sus fuerzas:

–¡Deprisa, capitana! ¡Tenemos que salir ahora!

Mientras la ballena y yo nos alejábamos, el oxidado galeón se hundió en el mar con un sonoro chapoteo. ¡Oh, horror! Yo no era un gran fan de las perfumadas piratas, pero no deseaba que nadie sufriera un destino tan terrible. Pero cuando volví a girar la cabeza, vi que las piratas salían del agua y trepaban a los botes salvavidas. Las oí discutir y pelear, maldecir y exclamar, mientras blandían sus alfanjes en mi dirección.

Pronto las perdí de vista, y ahora, que ya han pasado unas cuantas horas, ¡estoy solo en medio del océano encima de una descomunal ballena! ¿Cómo diablos voy a salir de aquí?

¡De paseo con la ballena!

Parece que hace años que estoy navegando por el mar subido en la espalda de este monstruo. ¡Es el medio de transporte más extraño que he tenido desde que empezaron mis aventuras! Las demás ballenas nos acompañaron durante un trecho. Algunas eran unas enormes montañas burbujeantes, y otras eran bastante más pequeñas, pero ninguna era tan enorme como el monstruo sobre el que me encuentro. El grupo de ballenas nadaba en silencio entre las olas y solo se oía el chapoteo de las aletas y, de vez en cuando, el chillido de una gaviota.

Al principio, no sabía qué pensar. ¿Me llevaban a algún sitio? ¿Sabía la ballena que yo me encontraba subido sobre su espalda, o quizá se sumergiría hasta las profundidades del mar y me dejaría abandonado en el agua?

Aunque no parecía que le molestara, decidí que debía hacer algo con el terrible arpón que tenía clavado en la piel. Me puse de pie, vacilante, y lo agarré con las dos manos. Con suavidad, empecé a tirar de él y el arpón se movió haciendo un ruido terrible. Tiré un poco más y, ¡ya está!, el arpón salió limpiamente de la piel del animal. La espalda de la ballena se onduló y el animal golpeó el agua con la cola, pero no hizo ninguna otra señal de incomodidad.

Lancé el arpón al mar y cogí un poco de agua para limpiarle la herida. No sangraba, y yo sabía que el agua salada era muy buena para limpiar heridas. Estoy seguro de que pronto se le curará. Mi enorme amiga emitió un grito atronador y

el resto de las ballenas le devolvieron el saludo y desaparecieron bajo el agua, dejándonos solos en el mar.

Ahora el sol se ha puesto y la luna se ha elevado en el cielo. Estoy cómodamente sentado sobre la cabeza de la ballena, pero ¡no me atrevo a quedarme dormido por si me caigo al mar! Así que procuro mantenerme despierto escribiendo mientras la ballena canta una bonita y misteriosa canción de las profundidades marinas.

Al día siguiente

El sol acaba de salir de nuevo y me calienta el cuerpo, helado después del frío de la noche. Continúo sin ver nada en el océano, pero sigo con los ojos abiertos por si pasa algún barco.

Empiezo a estar muy hambriento. En *El día del Juicio* no tuve tiempo de desayunar, y la última vez que comí algo fue en la fábrica de Jakeman, ¡y de eso hace siglos!

¿Adónde demonios nos dirigimos?

¡Y al otro día!

Ayer por la noche estaba tan cansado que me quedé dormido. Seguramente la ballena me cogió a tiempo cuando me caí de su espalda, porque al despertar casi me dio un ataque al corazón: estaba tumbado encima de la enorme lengua de la ballena, dentro de su cavernosa boca. ¡Creí que me comía vivo! Pero, entonces, solté un grito de alarma y el amable gigante abrió las fauces y pude trepar hasta su labio superior (¡gracias al cielo, porque ahí dentro olía a pescado podrido!). Entonces la ballena bajó la cabeza un poco por debajo del agua y me dejó nadando en la superficie del mar un instante. Rápidamente me volvió a levantar sobre su enorme cabeza y allí me sequé a la cálida luz del sol.

—Gracias, ballena, creo que me has salvado la vida —le dije, acariciándole la aceitosa espalda.

La ballena golpeó el agua con la cola y soltó un grito a modo de respuesta.

Mientras echaba un vistazo a su herida otra vez, empecé a pensar. Al final la ballena tendría que sumergirse para buscar comida. Querría regresar con su familia. ¿Y si no habíamos encontrado tierra firme todavía? Me quedaría solo en medio del océano y tendría que nadar hasta encontrar un lugar seguro... ¡y quién sabe lo lejos que podría estar! Necesitaba un medio de transporte alternativo. Si tuviera el material necesario, podría construirme una balsa. ¡Me estaba convirtiendo en un experto en construcción de balsas!

Decidí vigilar por si encontraba restos de algún naufragio arrastrados por las corrientes. Las horas pasaban y no había ni rastro de nada que me pudiera ser útil. Empecé a asustarme, pues pensé que la ballena se sumergiría en cualquier momento, pero ¡el fiel animal continuó avanzando y resoplando sin pausa! Y entonces, por fin, mientras atravesábamos una fuerte corriente, vi un pequeño grupo de cosas que se acercaban, flotando, a nosotros. Alargué la mano y las cogí.

¡Genial! Había una cabeza de osito de peluche, un largo y enredado trozo de cuerda de nailon de color naranja, dos bidones de plástico y un palé de madera que debía de haber caído de un barco de carga. Era justo lo que necesitaba.

(También había un puñado de viscosas e hinchadas algas

que engullí de inmediato. ¡Estaban deliciosas!)

Rápidamente, me puse a trabajar en mi balsa. Guardé la cabeza de osito de peluche en la mochila, como prueba de este increíble viaje. Luego, con un trozo de la cuerda de nailon, até los bidones de plástico al palé para que flotara mejor. Até un extremo de la cuerda restante a la balsa y el otro extremo, a mi muñeca: así, si la ballena se sumergía y me dejaba flotando en el agua, no perdería mi improvisado bote. Al terminar me sentía mucho mejor, así que decidí echar una cabezadita...

Un profundo y grave grito de llamada me acaba de despertar y el corazón se me ha desbocado del susto. «¿Por qué ha gritado la vieja ballena? —me he preguntado—. ¿Es que se acerca algún barco? Y si es así, ¿es amigo o enemigo?» ¡Al abrir los ojos, sin embargo, he sentido una gran alegría! ¡A lo lejos veo el débil perfil de tierra en el horizonte! ¡Yupii! Ya empezaba a creer que cruzaría los siete mares encima de esta ballena

para toda la eternidad. Ahora, por lo menos, podré poner los pies en tierra firme.

En cuanto termine de escribir esto, me prepararé para navegar hasta la isla.
Espero que mi amiga me acerque un poco más, porque todavía queda lejos. ¡No importa, las cosas empiezan a mejorar!

¡Un bosque terrible! (Uu-auu)

Mientras la ballena se acercaba a la costa, vi que se trataba de una larga península totalmente cubierta por un tupido bosque, tan grande que se perdía a la vista. El follaje era de un verde tan oscuro que parecía casi negro. Tenía un aspecto amenazador y lúgubre, y empecé a sentirme más que asustado.

Era el lugar menos acogedor que había visto en mi vida, y sentí un escalofrío en toda la espalda. El follaje de los árboles era denso, sin claros, y formaba unas cúpulas muy altas. «Sería mejor que me quedara encima de la ballena —pensé—, hasta que encontremos un lugar más agradable.»

Pero en ese momento, la ballena soltó un último grito y se sumergió bajo el agua. ¡Socorro!

—¡Espera un momento, amiga! —grité.

Me sujeté a la balsa y, justo en el momento
en que la gigantesca cola de la ballena se elevaba
por encima del agua, trepé a ella. El animal me
dedicó una señal de despedida con la cola y, luego,
desapareció bajo el mar.

—Regresa, ballena —grité—. No me gusta este sitio.

Pero la ballena no regresó. Estaba solo en el
ancho mar, y cuanto antes llegara a tierra firme,
mejor: mi pequeña balsa era muy inestable. ¡No
me quedaba otra alternativa que ir a la isla!

Empecé a dirigirme hacia la costa utilizando
el alfanje de la capitana Cortagargantas como

remo. Pero había fuertes corrientes y remar era
difícil. Pronto empecé a resoplar de cansancio y
la balsa se puso a dar vueltas en círculo, arrastrada
por corrientes que me llevaban en la dirección
contraria. Las olas barrían mi pequeño bote y
pronto empezó a hundirse por una de las esquinas.

Mientras continuaba hundiendo el alfanje en el agua, empecé a pensar que quizá no lo conseguiría. ¡Estaba dirigiéndome hacia atrás! Pero justo en ese momento, una enorme ola se adueñó de la balsa y la impulsó hacia la costa. Patinando sobre la cresta de la ola llegué directamente a la suave y blanca arena de la playa.

Un susto en la playa

Salté de la balsa sobre una arena fina y plateada que se hundía bajo mis pies. Arrastré la embarcación un buen trecho para dejarla en un lugar seguro y poder disponer de ella por si necesitaba huir en caso de emergencia.

El sol brillaba con fuerza y la arena estaba caliente. Los cangrejitos corrían por la playa hacia el mar y, a cierta distancia, encima de una roca, había un frailecillo que tenía unas sardinas recién pescadas en el pico. Aparte de eso, no había ningún otro rastro de vida en la playa, y todo estaba tan en silencio que daba miedo.

No se oía el canto de ningún pájaro, ni el chillido de ningún animal, en ese bosque inmenso y oscuro. Densos e impenetrables matorrales y grandes helechos crecían ante los troncos retorcidos y enredados de los árboles. A mi espalda, las olas rompían en la playa con un gran estruendo, y me sentí muy, muy solo.

De repente, oí el crujido de una rama al romperse y me asusté tanto que me pareció que el corazón me salía por la boca.

—¿Quién hay ahí? —grité, pero no hubo respuesta—. ¿He dicho que quién anda ahí? —repetí, aferrando el alfanje de Cortagargantas por si aparecía algún enemigo del interior del bosque.

Nadie respondió. Pero entonces, los helechos que había ante mí empezaron a moverse y a agitarse con violencia. Contuve una exclamación, di un paso atrás y levanté la espada.

—Vale. Deja de hacer el tonto —dije, con voz temblorosa—. Sal y deja que te vea.

Los helechos se agitaron otra vez, y cuando ya estaba a punto de lanzarme al ataque, una arrugada y vieja tortuga salió de debajo de los matorrales.

—¡Buf! —exclamé, dejándome caer en el suelo—. ¡Me has dado el mayor susto del mundo!

Pero la tortuga se limitó a mirarme inexpresivamente mientras avanzaba a rastras hacia el mar.

—Vale —me dije a mí mismo—. ¿Y ahora, qué, Charlie Small?

¡Decisiones, decisiones!

Ahora estoy sentado sobre la arena caliente, escribiendo en mi diario e intentando pensar en algún plan. Me parece que tengo dos opciones: o bien puedo meterme en ese oscuro bosque y ver adónde me conduce, o bien puedo quedarme aquí y esperar a que pase algún barco y me recoja.

Podría estar esperando años a que pasara un barco, pero si intento abrirme paso en el bosque, quizá no me conduzca a ninguna parte. Podría acabar en otra playa, a kilómetros de distancia, en esta península. El bosque se pierde de vista en la bruma, a lo largo de la costa. Parece no terminarse nunca... Vale, ¡ya lo he decidido! Me quedaré cerca de la playa y prepararé una gran hoguera. Si veo algún barco en el mar, encenderé el fuego para mandarle una señal de socorro.

Ahora lo único que necesito es comer un poco y encontrar un sitio para dormir. El sol ya se está poniendo en el mar y pronto oscurecerá. Por la mañana exploraré mi nuevo hogar y construiré algún refugio. ¡Quizá tenga que vivir aquí bastante tiempo!

Mi primera mañana

Ayer por la noche cené bígaros hervidos. Son unos pequeños caracoles de mar que, además de ser muy difíciles de masticar, ¡son deliciosos! Los encontré caminando por el agua, pegados en unas rocas que había justo debajo de la superficie del mar. Cogí un par de puñados y me los llevé a la playa.

Fui a buscar madera seca a la linde del bosque y la coloqué formando un montón. Luego, con la lupa de mi equipo de explorador, concentré los rayos del sol sobre las ramas hasta que vi una pequeña columna de humo que se elevaba en el aire. Soplé con suavidad y las ramitas empezaron a prender hasta que... ¡hurra! unas pequeñas llamas empezaron a bailar sobre ellas.

Un bígaro ¡Mmm!

Rayos de sol

La lupa concentra los rayos del sol

El fuego prende en la hierba seca y en yesca

Un poco más abajo, justo a la orilla del mar, encontré una gran concha vacía. La llené de agua marina, la llevé hasta mi hoguera, la deposité encima del fuego y eché los bígaros dentro. ¡Al cabo de un rato pude disfrutar de unos deliciosos caracoles de mar para merendar! ¡Es increíble lo que uno puede comer cuando tiene hambre de verdad!

Cuando estuve lleno, hice un agujero grande en la arena, me tumbé en él y me cubrí con arena a modo de sábana. De inmediato, cómodo y calentito, con la mochila como almohada, me sumí en un sueño tranquilo.

Al despertar, tardé un rato en recordar dónde me encontraba. Aparte del sonido del mar, todo a mi alrededor estaba en completo silencio y, por unos segundos, creí que me hallaba de vacaciones con papá y mamá y que me había quedado dormido en la playa. Pero entonces vi la maraña de árboles a mi espalda y recordé mi peligrosa decisión. Así que decidí poner mi plan en acción.

Primero recogí montones de ramas caídas del linde del bosque y los amontoné en medio de la playa formando una enorme pira. Luego cubrí el montón con hojas verdes, para que el fuego hiciera un humo muy denso. Así, si un barco pasaba cerca de ahí, yo podría encender

la almenara con mi lupa.
Sería imposible que
no la vieran.

Tenía que
guardar bien mi
lupa, porque si la
perdía, tendría
que encender el
fuego frotando
un palito en

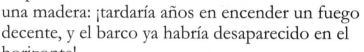

¡La almenara!

una madera: ¡tardaría años en encender un fuego
decente, y el barco ya habría desaparecido en el
horizonte!

Luego construí un refugio.
Decidí que el mejor lugar
para ello era arriba de
un árbol, cerca del
linde del bosque,
porque desde allí
podría vigilar el mar y, al
mismo tiempo, estaría a salvo
de cualquier depredador que
rondara por ahí.

Todavía no he averiguado
si por aquí hay depredadores;
desde luego, no parece probable,
ya que en el bosque hay un silencio tan grande
como en una catedral, pero ¡es mejor prevenir que

despertarse
con una
pierna
dentro de
las fauces de
un enorme y
maligno lobo!

En busca de casa

Me puse la mochila a la espalda,
inhalé con fuerza y me introduje en la
densa linde del bosque. Avancé con dificultad,
pues las ramas y los pinchos de las zarzas me
rasgaban la ropa y me arañaban las manos.
Caray, era muy difícil: era como avanzar en
medio de un montón de alambre de púas. Pero
al final, dando un último empujón, atravesé la
pared de matorrales.

¡Si el bosque ya era terrible desde fuera,
ahora daba mil veces más miedo! Era muy, muy
tenebroso, pues solo se filtraban unos débiles
rayos de luz por las copas de los árboles. El
suelo estaba cubierto de grandes trozos de
musgo y de hierba, de montones de helechos
de un color verde plateado y por las retorcidas
raíces de los árboles, que se esparcían por todo
el bosque.

Los troncos de los árboles eran gruesos y oscuros. Se extendían en todas direcciones. Unos se elevaban, rectos, como columnas de iglesia; otros se retorcían dibujando las formas más extrañas. Era un sitio en el que parecía que una bruja fuera a aparecer en cualquier momento, y aunque yo no creo ni en brujas ni en espectros, el corazón empezó a latirme más deprisa y la boca se me secó.

«No seas tan cobardica —me dije a mí mismo, y mi voz sonó ahogada y remota en medio de los arboles—. Aquí no hay nada que pueda hacerte daño, no hay ni siquiera una diminuta cochinilla. Y ahora ponte a hacer lo que has venido a hacer.»

Caminé por entre los árboles hasta que, de repente, me di cuenta de que si no tenía cuidado, no encontraría el camino de vuelta a la playa y a mi almenara. Tenía que señalar la ruta de alguna manera.

¿Hay brujas en este bosque?

Di una patada a las hojas muertas del suelo y di la vuelta a algunas rocas con la punta del pie. ¡Ajá! Eso me serviría. Cogí una piedra grande de color blanquecino y dibujé una enorme X en el tronco de uno de los árboles. Más animado, continué buscando y marcando otras X a cada pocos metros.

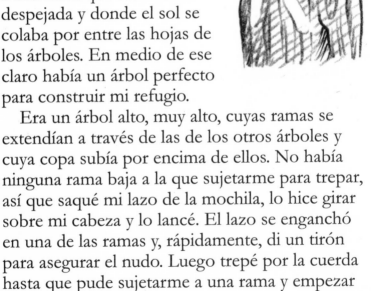

Los árboles crecían tan apretados que, a veces, era muy difícil colarse entre los troncos, pero pronto llegué a una zona que estaba más despejada y donde el sol se colaba por entre las hojas de los árboles. En medio de ese claro había un árbol perfecto para construir mi refugio.

Era un árbol alto, muy alto, cuyas ramas se extendían a través de las de los otros árboles y cuya copa subía por encima de ellos. No había ninguna rama baja a la que sujetarme para trepar, así que saqué mi lazo de la mochila, lo hice girar sobre mi cabeza y lo lancé. El lazo se enganchó en una de las ramas y, rápidamente, di un tirón para asegurar el nudo. Luego trepé por la cuerda hasta que pude sujetarme a una rama y empezar a subir por el árbol.

Gracias a que había pasado tantos años entre gorilas, me resultó muy fácil subir hasta arriba. Pronto me encontré en las ramas más altas, mirando hacia el ancho mar que se extendía hacia un lado y hacia el interminable bosque que se alejaba por el otro. ¡Era un lugar perfecto!

¡Hogar, dulce hogar!

Empecé a construir mi refugio cortando ramas largas y rectas con el diente de megatiburón que llevaba en mi equipo de explorador. Até las ramas con trozos de hojas de helecho que recogí del suelo y, pronto, tuve una plataforma que se apoyaba entre dos ramas del árbol. Clavé unas ramas más delgadas en las juntas de los troncos alrededor de la plataforma, y con brotes tiernos tejí las paredes entre ellas. Luego, cubrí el refugio con hojas grandes y anchas a modo de techo. Por fin, sujeté mi telescopio a una de las ramas dirigiéndolo hacia el mar para poder vigilar la llegada de algún barco. Aunque esté mal que yo lo diga, ¡quedó fantástico! Cuando, finalmente, puse un montón de hojas secas en el suelo para hacerme una cama, me sentí verdaderamente en casa.

Mi
fantástica
casa en
el árbol

Puesto que ya había terminado mi refugio,
bajé hasta el suelo y fui a buscar algo de comida.

Después de trabajar tan duro, me moría de hambre, pero no quería comer caracoles otra vez. ¡La barriga me había estado haciendo unos ruidos terribles durante todo el día!

Marcando equis a lo largo del camino, caminé en busca de bayas o setas, o de cualquier cosa que pareciera remotamente comestible. Todavía estaba un poco asustado y llevaba el alfanje en la mano, por si acaso. Pero el bosque continuaba y continuaba, silencioso como una tumba, sin pájaros que cantaran en las copas de los árboles, ni ardillas o zorros que corretearan por el suelo, ni conejos que huyeran por el ruido de mis pasos. Era realmente muy raro. ¿Por qué estaba tan vacío ese bosque?

Por fin encontré unos grandes matorrales repletos de moras. Me llené la boca con ellas hasta que el jugo me cayó por la barbilla. Era algo, pero no bastante, así que regresé a mi refugio todavía con hambre.

Ahora estoy completamente agotado, pero me siento muy seguro en mi casita, en el techo del bosque. Me he tumbado en mi confortable lecho de hojas y bebo de la botella de agua, que rellené en un charco de agua de lluvia. He puesto al día el diario y ahora debo dormir un poco. ¡Espero no caerme del árbol en medio de la noche!

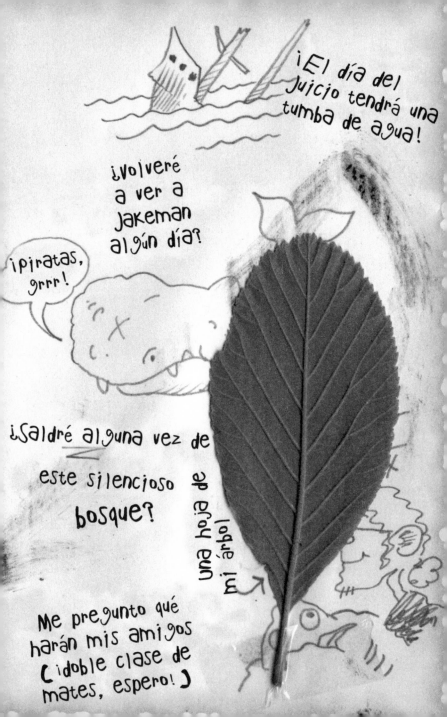

¡Empiezan a pasar cosas!

Durante los días siguientes continué trabajando en mi refugio: añadí un pequeño balcón y construí una pequeña silla de madera para sentarme. También fabriqué unos platos con madera y un tenedor con una ramita retorcida. Continué vigilando el mar por si aparecía algún barco y seguí realizando expediciones por el tenebroso bosque, pero no encontré ningún rastro de vida.

Mi plato y mi tenedor

A veces, por la noche, sacaba la cajita que Philly me había regalado y me preguntaba qué estarían haciendo Jakeman y ella. ¿Habrían conseguido soltarse de las ataduras; estarían en ese mismo instante recorriendo el océano, buscándome, con su submarino aerodeslizador? Si era así, no los vi en ningún momento. El mar siempre aparecía vacío, y el bosque continuaba tan silencioso y lúgubre como siempre, y yo sabía que si no pasaba un barco pronto, tendría que coger mi mochila y esforzarme por atravesar el enorme bosque de imponentes árboles.

Empiezo a sentirme como Robinson Crusoe, uno de mis héroes de aventuras favoritos.

¡Me he hecho una gruesa chaqueta de musgo para cubrirme por las noches y el cabello me ha crecido tanto que me llega a los hombros! ¡Si pudiera dejarme crecer una barba como la de Robinson, ahora ya tendría tres metros de largo!

Las comidas son un poco aburridas. ¡Para desayunar, comer y merendar solo tengo col! La col crece en la linde del bosque y, cocinada con el agua de mar, no está tan mal. Pero lo peor es que da muchas ventosidades. ¡Puaj! Podría cocinar cangrejos hervidos, un delicioso plato que aprendí con las perfumadas piratas la primera vez que estuve con ellas. ¡Hay muchos correteando por la playa, pero no soporto tener que tirarlos al agua hirviendo!

Pero esta mañana ha sucedido una cosa que lo ha cambiado todo. Estaba fuera, explorando, cuando, de repente, ¡oí un chillido agudo y terrible procedente de las profundidades del bosque!

¡Aaaayyyy!

El grito provocó un gran eco y la sangre se me heló en las venas. Me quedé temblando y con las rodillas flojas. ¿Qué demonios era eso? ¡Era evidente que no estaba solo, después de todo! Mi primer instinto fue salir corriendo hacia mi refugio, pero yo era un explorador intrépido, así que mi deber era descubrir de dónde procedía ese sonido sobrenatural.

¡Un muro de calaveras!

Penetré en el bosque más que nunca. Avanzaba pisando ramitas secas, con el alfanje de Cortagargantas en la mano. Todo volvía a estar en silencio, pero yo avanzaba en dirección al lugar de donde parecía proceder el grito. De repente, noté un olor extraño. A medida que avanzaba, el olor se hizo más fuerte. Era como el apestoso olor del estiércol podrido, y los ojos empezaron a picarme. «¿Qué era?», me pregunté. Estaba seguro de haber notado ese olor antes. Pero ¿dónde?

De repente, giré a un lado y me encontré ante una especie de anfiteatro. Era un gran semicírculo de grandes columnas de granito talladas con motivos muy intrincados. En medio, había un estrado de piedra que estaba cubierto de manchas de sangre. ¡Y detrás de él vi un muro de unos cinco metros de altura hecho de miles y miles de calaveras blanqueadas!

«¡Qué horror!», susurré. Era terrible.

Las cuencas vacías de los ojos de innumerables calaveras me miraban en silencio. Eran calaveras humanas y de animales, y parecían burlarse de mí con esas fantasmales sonrisas llenas de dientes. ¿Qué hacían allí, tan bien amontonadas? Y lo que era más preocupante: ¿quién las había puesto allí? Sentí que el cuerpo se me llenaba de adrenalina, y el corazón se me aceleró. ¡Ahora sabía que no estaba solo!

«Aquí hay algo muy, muy malo», me dije. Miré a mi derecha y a mi izquierda, con la sensación de que un ser maligno me estaba observando, y volví a ocultarme entre los árboles. Todo permanecía completamente en silencio. Esperé durante un momento, pero nadie apareció en el claro: ninguna terrible tribu, ningún grupo de caníbales, ningún rebaño de monstruos. Rodeé el anfiteatro sin salir de los árboles, en silencio. Parecía vacío, pero era evidente que algo o alguien había construido ese fúnebre muro y, fuera quien fuera, debía de estar en el bosque. Deseé verlo antes de que él me viera a mí. ¡Tenía que irme de allí, y deprisa!

Justo en ese instante oí otro sonido que me hizo parar en seco. Era un sonido parecido a un débil gemido. ¡Alguien estaba llorando!

Renacuajo

Avancé de puntillas y sin hacer ruido hasta unos matorrales y miré por encima.

Al principio no vi nada. Pero luego, el animalito volvió a gemir y lo vi. Estaba medio oculto tras un enorme helecho y metido en un pequeño agujero del suelo: era un pequeño topo. Sollozaba suavemente con el hocico entre las dos patas delanteras. Parecía perdido y solo.

No quería asustarle, pero rompí una ramita seca con el pie sin querer y el animalito se sobresaltó. Al ver que yo lo miraba por encima del arbusto, soltó un chillido y levantó las patas delanteras como para protegerse de un golpe.

—No te preocupes, amiguito —le dije en voz baja—. No voy a hacerte daño. ¿Por qué lloras? ¿Alguien te ha hecho daño?

El topo intentó huir, pero conseguí agarrarlo por su largo y negro pelaje, y lo levanté del suelo.

¡Él continuaba corriendo en el aire con sus pequeñas patas, como si fuera un juguete mecánico!

—Shhh —le dije, poniéndomelo entre los brazos y acariciándole la cabeza.

El topo se calmó enseguida y sus pequeños ojitos negros me miraron con expresión de placer.

Volví a dejarlo en el suelo y repetí:

—No voy a hacerte daño. ¿Cómo te llamas?

Él me miraba, extrañado, y me sentí un tonto. Como hablaba el idioma de los gorilas y había conocido lechuzas y árboles parlantes, creía que todos los animales podían hablar conmigo. Era

evidente que ese animalito no podía. Pero no importaba: ¡quizá también aprendería a hablar el idioma de los topos!

El topo soltó un pequeño chillido y señaló hacia el claro, donde estaba el muro de calaveras.

—Chiip, chiip, chiip —decía, muy excitado.

—¿Qué quieres decirme? —pregunté—. ¿Por qué estás tan asustado?

—Chiip, chiip —volvió a decir.

Entonces el topo cogió una ramita del suelo y dibujó una cosa en la tierra. Esto es lo que dibujó:

—¡Es una rata! —exclamé—. ¿Las ratas han construido ese terrorífico muro?

—¡Chiip! —contestó el topo.

Entonces recordé dónde había olido antes ese terrible olor. ¡Fue en el Mundo Subterráneo, cuando una estampida de ratas me tumbó al suelo! ¿Serían estas de la misma especie?

Y si era así, ¿qué estaban haciendo aquí?

—Será mejor que vengas a casa conmigo —le dije al topo—. Pareces perdido, y aquí hay demasiado peligro.

Le ofrecí la mano y el animalito me la cogió con confianza. Pero entonces pareció recordar algo: corrió hacia el agujero en que yo lo había encontrado y cogió una cosa de su interior: ¡parecía un horrible cuerpo sin cabeza!

—Chiip —hizo, levantando el cuerpecito sin cabeza hacia mí.

—¡Puaj! —exclamé—. Es horrible.

Pero entonces me di cuenta de qué era: el topo me mostraba el cuerpo sin cabeza de un osito de peluche. Se lo acercó a la mejilla y lo acarició con una expresión muy dulce. De repente, empezó a chillar con enojo y señalaba hacia el muro de calaveras.

—¿Qué pasa, las ratas le han hecho eso a tu osito? —pregunté.

—Chiip —respondió el topo con tristeza.

Creo que él no entendía mis palabras, pero parecía que los dos nos comprendíamos sin dificultad. ¡De repente recordé lo que llevaba dentro de la mochila! Saqué la cabeza de osito que había encontrado en el mar y se la di al topo. El animal soltó un chillido de emoción y se puso a saltar de alegría mientras besaba la cabeza del osito y le hablaba con rápidos grititos.

Luego me cogió de la mano con su pata con forma de pala y nos adentramos entre los árboles, siguiendo las equis que yo había marcado en los troncos. El pequeño topo solo me llegaba a la altura de las rodillas, y como no podía saber su nombre, decidí llamarlo Renacuajo.

—Vamos, Renacuajo —dije—. Vamos a casa a comer algo.

Aunque no entendía ni una palabra, Renacuajo estuvo soltando grititos y chillidos durante todo el camino hasta el refugio del árbol Parecía muy contento de haber encontrado a su osito y de haber hecho un amigo nuevo. ¡Yo también estaba contento de tener compañía, porque hacía semanas que estaba solo en ese bosque y empezaba a volverme un poco tarumba!

Chiip

Pero durante todo el camino a casa tenía la sensación de que nos estaban observando. ¿Nos habrían oído esas apestosas ratas? ¿Nos estarían siguiendo por el bosque? No se oía ruido de pisadas y no vi ningún par de ojillos negros por entre los árboles. Pero tenía la horrible sensación de que no estábamos solos. Agarré con fuerza la empuñadura del alfanje que llevaba en el cinturón. ¡Si intentaban algo, estaba preparado para recibirlas!

Cuando trepamos hasta el refugio me sentí más tranquilo, porque si las ratas nos habían seguido, no podrían trepar hasta arriba del árbol. Decidí esperar a que no estuvieran por ahí cerca para buscar una ruta de huida del bosque. ¡No quería tropezarme con ellas y que mi coco acabara en ese tenebroso muro!

Mi pequeño ayudante

Hace unos cuantos días que estamos en casa y Renacuajo ha demostrado ser un compañero muy útil. Cuando llegamos, le cosí la cabeza del osito al cuerpo de peluche con un poco de hilo de mi equipo de explorador. El topo se puso contentísimo y está tan agradecido por haberle llevado a mi casa que insiste en hacer todas las tareas domésticas. Yo no quiero que lo haga, por supuesto, porque verlo trabajar y limpiar todo el rato me hace sentir un poco vago. Pero ¡mi pequeño amiguito no quiere dejar de hacerlo!

Por las mañanas, mientras yo vigilo el océano por si avisto algún barco, y el bosque por si aparecen las ratas, Renacuajo sacude las hojas de mi cama y quita el polvo del pequeño refugio con una flor de diente de león. Después cava otra letrina en el bosque y tapa la anterior con tierra. (¡A mí me alegra que sea él quien haga ese trabajo, pues es una tarea muy maloliente!). Cuando ha terminado, los dos bajamos a la playa y Renacuajo me prepara el desayuno.

Me ha enseñado dónde puedo recoger moras, qué setas son buenas para comer e, incluso, cómo puedo moler algunas semillas para hacerme un pan hervido. Esta mañana, mientras él preparaba un pastel de gusanos triturados, me puse serio: ¡por muy hambriento que estuviera, no estaba dispuesto a comer gusanos!

Dos días después

¡He probado el pastel de gusanos por primera vez! (Las moras y las setas se han terminado.) ¡Estaba delicioso, un poco parecido al de pollo, pero no aconsejo que nadie lo coma a no ser que lo cocine un experto topo!

Pastel de gusanos

¡Ñam, ñam!

¡Un barco! ¡Un barco!

Esta mañana me he levantado muy temprano, y mientras Renacuajo se afanaba por la casa, me tomé una taza de té de hierbas en el balcón. Las copas de los árboles se mecían por debajo de la choza como si fueran unas enormes nubes oscuras que se llegaban hasta la estrecha playa. Detrás de ellas, el mar se extendía de horizonte a horizonte, y brillaba como la plata a la débil luz de la mañana... ¡y, de repente, ahí en medio, había un gran barco de vapor!

—¡Por fin! —grité, y el eco de mi voz se perdió entre los árboles.

—¿Chiip? —preguntó el topo, saliendo fuera para ver a qué venía tanto escándalo.

—¡Un barco, Renacuajo, un barco! —exclamé—. Por fin me van a rescatar. ¡Mira!

Levanté al topo del suelo para que pudiera ver el barco. El navío era de un brillante color azul, y tenía una gran chimenea por la que salía una columna de humo

que permanecía quieta en el aire. «Qué bonito», pensé.

—Vamos, Renacuajo. ¡Estamos perdiendo tiempo! —dije.

Cogí la mochila, me puse a mi amiguito encima de los hombros y empecé a bajar por las ramas de nuestro árbol. Había enrollado el lazo en una de las ramas para evitar que algún animal pudiera trepar hasta nuestro refugio. Lo solté y lo dejé caer hacia abajo. Luego me agarré a la cuerda y me deslicé hasta el suelo.

Corrí por el bosque y me abrí paso por los densos matorrales que daban a la playa. Cuando llegué a la hoguera, me puse de rodillas, saqué la lupa y la coloqué de tal forma que los rayos del sol se concentraran en las ramitas secas de la base.

—¡Vamos, date prisa! —dije, pero no se encendía.

El barco nos estaba dejando atrás, y se alejaba del bosque. Volví a mirar la lupa, deseando que las ramitas se encendieran.

—Vamos, lupa inútil, ¿por qué no funcionas?

Entonces levanté la vista al cielo y comprendí por qué no funcionaba. ¡Los rayos del sol no tenían fuerza suficiente para encender el fuego!

—¡Maldición, maldición y mil veces maldición!
—vociferé, y Renacuajo fue a esconderse al otro
lado de la hoguera—. Perdona, Renacuajo
—suspiré—. No quería asustarte.

Observé las nubes y el barco. Las cosas no
iban bien: las nubes eran muy grandes y el barco
ya se habría ido cuando el sol pudiera volver a
salir. ¡Qué increíble: era la primera vez que había
visto una nube desde que me encontraba allí!

No había nada que hacer. Podía intentar
encender la hoguera frotando dos palos de
madera. Fui a buscar unas ramitas a la linde
del bosque, pero cuando regresé a la playa me
di cuenta de que era inútil. El barco ya casi se
había perdido de vista.

—¡Vuelve! —grité, saltando y agitando los
brazos—. ¡Eh, vuelve, por favor!

Pero el barco continuó hacia delante.
Pronto no fue más que una pequeña mancha
en el horizonte, y supe que había perdido
la oportunidad. Tiré las ramitas al suelo,
disgustado, y regresé al refugio del árbol con un
sentimiento de completa derrota.

¡He estado de mal humor todo el día y
Renacuajo no se acerca a mí! ¡Estoy HARTO, y
no voy a escribir nada más en este diario hasta
que suceda algo bueno!

¡Un hallazgo increíble!

¡Ha sucedido una cosa buena!

Desde que descubrí el muro de calaveras, no había visto a ninguna rata, así que decidí aventurarme en el bosque con la esperanza de encontrar comida. Iba caminando por un camino ancho y cubierto de hojas con mi amigo el topo cuando vi que algo brillaba bajo los árboles.

—¡Al suelo! —exclamé, arrodillándome detrás de un ancho tronco—. ¡Creo que he visto unos ojos de rata!

Renacuajo soltó un pequeño chillido y se escondió detrás de mí.

Sin hacer ruido, saqué la cabeza y observé. Sí, definitivamente algo se escondía entre la maleza. Llevaba el telescopio conmigo, así que lo saqué de la mochila y miré. Distinguí un solo ojo y un trozo de grupa y... ¿un tubo de escape?

—¡Es increíble! —grité, poniéndome en pie y corriendo hacia los tojos.

—¡Chiip! —gritó Renacuajo, advirtiéndome—. ¡Chiip, chiip!

—No te preocupes —le dije, apartando las ramas—. ¡Creo que ya sé lo que es!

Aparté todas las hojas que lo cubrían y allí, en medio del arbusto, vi una enorme bestia de metal.

—¡Eso me parecía! —exclamé—. Es uno de los inventos de Jakeman... una especie de animal con armadura. Parece fuerte como un tanque. ¡Oh, genial! ¡Podré cruzar el bosque con él y salir al otro lado! El bueno del viejo Jakeman y sus maravillosos animales mecánicos! Vamos, Renacuajo, ven a echarle un vistazo.

Apartamos todas las ramas que pudimos, pero cuanto más a la vista quedaba esa máquina, más destartalada se veía. Renacuajo la miraba con cara de extrañeza. ¡No parecía muy impresionado con mi hallazgo!

—Debe de hacer años que se encuentra aquí —dije, un poco decepcionado. Tenía un montón de óxido en las juntas y una gran enredadera había cubierto las patas metálicas. Parecía un tractor viejo olvidado en un rincón de una granja—. No importa, Renacuajo. Podemos ponerlo a punto. ¿Habrá instrucciones en algún lugar?

Subí encima de la enorme y arqueada grupa de la máquina. Allí arriba vi una cavidad que contenía un asiento de piel para el conductor. En el suelo había dos palancas y un pedal de acelerador entre ambas. Bajo la carcasa del animal había un estante. Introduje la mano y encontré un trozo de papel.

—¡Ajá! —exclamé—. Esto es lo que necesito.

Era la hoja de instrucciones del animal mecánico, y es un documento increíble. (Ved el dibujo de la siguiente página).

«¡Qué máquina tan fantástica! —pensé—. ¡Seguro que con este monstruo podré abrirme paso por las partes más densas del bosque!»

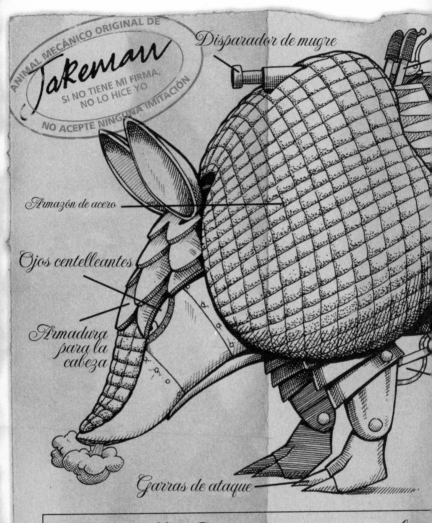

ANIMAL MECÁNICO ORIGINAL DE

Takeman

SI NO TIENE MI FIRMA,
NO LO HICE YO

NO ACEPTE NINGUNA IMITACIÓN

Disparador de mugre

Armazón de acero

Ojos centelleantes

Armadura
para la
cabeza

Garras de ataque

Armadillo Acorazado de gasolina

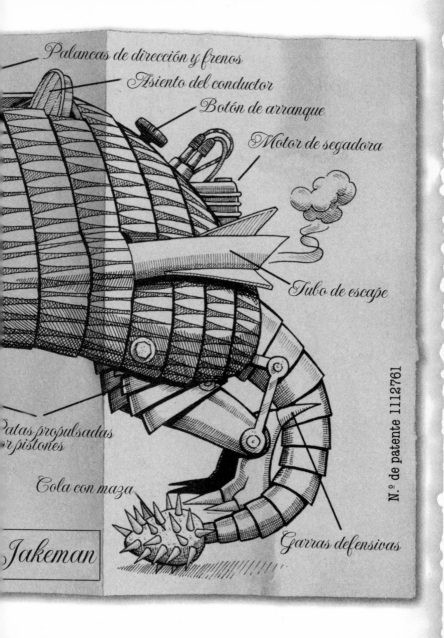

Palancas de dirección y frenos

Asiento del conductor

Botón de arranque

Motor de segadora

Tubo de escape

Patas propulsadas
r pistones

Cola con maza

Garras defensivas

N.º de patente 1112761

Jakeman

El Armadillo Acorazado, pues así se llama, tiene unos poderosos hombros cubiertos por una placa de acero templado. También tiene la cabeza protegida de manera similar, y las patas se propulsan gracias a unos pistones y por un motor de gasolina. En la parte trasera tiene una cola larga y articulada que termina en una maza con púas, fantástica para tumbar árboles de tamaño mediano. ¡Es justo lo que necesito! Ya me puedo olvidar de los barcos. ¡Escaparé conduciendo el Armadillo!

Pero cuando abrí la tapa del depósito de gasolina, vi que estaba completamente vacío. Pero Renacuajo, que tenía un olfato muy fino, enseguida olió unas latas de gasolina que estaban ocultas entre los matorrales. Además, detrás del cuadro de mandos, encontré un poco de aceite, una llave inglesa y un librito de instrucciones.

Ahora tenemos todo lo necesario para poner en marcha la máquina, y no vamos a perder ni un minuto. He empezado a limpiar las articulaciones del Armadillo con un estropajo de acero que he encontrado en la caja de herramientas del animal.

¡Renacuajo quiere ayudarme, pero no estoy seguro de que sepa lo que está haciendo, ni por qué!

¡Yupi! ¡Por fin las cosas parecen ir bien!

¡Llamo a casa!

Ahora es de noche y estoy terminando de escribir mi diario. Estoy seguro de que no voy a tardar mucho en salir de este bosque, y eso me ha hecho pensar en mi casa. Si regreso a la fábrica de Jakeman lo antes posible, y si su Arco a Ninguna Parte funciona, pronto volveré a mi mundo.

Hace un momento que he llamado a mamá para decirle que me esperara. Para ella, todavía es el mismo domingo en que inicié mis aventuras, y continúa esperándome para la merienda... ¡a pesar de que han transcurrido cuatrocientos años desde que me fui! Debo de haber pasado a otra dimensión de tiempo o algo parecido. Sea como sea, cada vez que la llamo, me dice lo mismo.

—Ah, hola cariño. ¿Va todo bien? —ha preguntado mamá al coger el teléfono.

—Más o menos, mamá —le he dicho—. Hace una eternidad que estoy atrapado en un bosque denso y oscuro. ¡Hay un enorme muro hecho con millones de calaveras, y creo que hay ratas!

—¡Oooh! Parece fantástico, cariño —ha contestado ella—. Pero ten cuidado de no resfriarte.

—Mamá. ¿Has oído lo que te he dicho?

—Oh, espera un momento, Charlie. Tu padre acaba de llegar. Acuérdate de no llegar tarde a merendar y, de camino a casa, compra una botella de leche, por favor. Adiós.

—Sí, mamá —he dicho con un suspiro antes de que colgara.

He dejado el teléfono en el suelo y he puesto todas las cosas que llevo en la mochila al lado. Si quiero irme de este bosque con el Armadillo, será mejor que compruebe qué cosas llevo en mi valioso equipo de explorador: son las cosas que me han ayudado siempre durante mis peligrosas aventuras. No iría a ninguna parte sin ellas. Si alguna vez salís a explorar, no olvidéis llevar una bolsa llena de cosas útiles. Ahora, en mi mochila, llevo:

1) Una navaja multiusos
2) Un rollo de cordel
3) Una botella de agua

4) Un telescopio

5) Una bufanda (atada a una rama)

6) Un billete de tren viejo

7) Este diario

8) Un paquete de cromos de animales salvajes (lleno de información útil)

9) Un tubo de pegamento para pegar cosas en mi cuaderno

10) Un ojo de cristal del valiente rinoceronte de vapor

Ver mi diario La ciudad de los gorilas

11) La brújula y la linterna que encontré en un esqueleto descolorido por el sol de un explorador perdido

12) El diente de sierra de un megatiburón

13) Una lupa

14) Una radio

15) Mi teléfono móvil y el cargador de cuerda

16) El cráneo de un murciélago bárbaro

17) Un fajo de mapas que he ido reuniendo durante mis viajes

18) Una bolsa de canicas

19) Un limón de plástico lleno de zumo de limón

20) Un lazo (también atado a una rama para poder trepar a mi refugio del árbol)

21) El dedo de hueso de un esqueleto viviente

22) La cajita que Philly me regaló

El dedo de hueso

Ahora voy a dormir un poco. Mañana trabajaré un poco más en el Armadillo Acorazado y, ¿quién sabe?, quizá mañana por la noche ya estaré fuera del bosque y de camino a la fábrica de Jakeman. ¡Yuppiii! Continuaré escribiendo más adelante.

¡Una emboscada de ratas!

NO estoy fuera del bosque. NO estoy de camino a la fábrica. Estoy en la situación más peligrosa que he vivido desde que me fui de aventuras. ¡No me lo puedo creer! ¿Por qué siempre me suceden estas cosas?

Renacuajo y yo nos levantamos temprano a la mañana siguiente. Me di un rápido baño en el mar y me peiné con una anémona seca. Luego nos adentramos en el bosque siguiendo las equis que yo había marcado en los troncos de los árboles. En cuanto llegamos a donde estaba el Armadillo, empezamos a pulirlo y a ponerle aceite, a limpiarlo y a ajustarlo.

De repente me pareció notar un ligero olor de rata, y vi que Renacuajo movía el hocico con nerviosismo, oliendo el aire también. ¿Estaban por allí esos misteriosos roedores?

Intenté obtener más información de mi amigo. ¿Dónde estaban las ratas? ¿Por qué les tenía tanto miedo, y por qué estaba el bosque tan extrañamente vacío? Pero cada vez que le hacía una pregunta, Renacuajo cogía una ramita y hacía el mismo dibujo de una rata en el suelo.

—Sí, ya me dijiste que había ratas por aquí —exclamé, frustrado—. Pero cuéntame algo de ellas. ¿Qué han hecho?

El topo volvió a dibujar una rata en la tierra del suelo, pero esta vez dibujó una gran X al lado. Luego hizo otro dibujo.

—Vaya, ¿qué es eso? —pregunté—. ¡Parece un tejón!

Al lado, Renacuajo dibujó una gran marca.

—¿Las ratas son malas y los tejones, buenos? —pregunté—. ¿Es eso lo que quieres decir?

—¡Chiip! —respondió el topo.

—Pero aquí no hay tejones —protesté—. Ni tampoco he visto ninguna rata. ¡Por lo que yo sé, tú eres el único ser vivo de este bosque, a parte de mí!

Pero, por el terrible muro de calaveras y el pútrido olor que notaba, yo sabía que eso no era cierto. No, no había visto ninguna rata, pero estaba claro que estaban ahí... ¡y pronto lo iba a comprobar!

Terminamos el trabajo y recogimos las cosas. Yo estaba seguro de que al día siguiente podríamos retomar el trabajo con el Armadillo y hacer una prueba de conducción.

Mientras caminábamos hacia el refugio del árbol, volvimos a notar ese terrible olor. Era más fuerte que antes e incluso me provocaba picor en la garganta.

—¡Chiip! —exclamó Renacuajo, corriendo a mi alrededor con pánico—. ¡Chiip, chiip, chiip!

—¿Ratas? —pregunté.

—¡Chiiiiiiip! —chilló.

Justo en ese momento, una tropa de diez ratas marrones y mugrientas salió de entre los matorrales y se colocaron ante nosotros. Eran unas ratas grandes como perros, se sostenían sobre sus patas traseras y blandían unas hojas muy afiladas. Pero no había solo

ratas, sino que también las acompañaban unas altas y nerviosas comadrejas que tenían unos ojos rojos como la sangre y unos dientes largos como alfileres.

–¡Niiiiiiip! –chillaron los animales con unas voces tan agudas que perforaban el tímpano. Empezaron a formar un círculo a nuestro alrededor y nos apuntaban con sus floretes–. ¡Niiiip, niiiiiiip!

Yo sabía que debía actuar con rapidez antes de que nos rodearan del todo, así que agarré a Renacuajo con la mano izquierda y me lo puse encima de los hombros.

Una de las astutas comadrejas

Con la mano derecha desenfundé mi alfanje y lo hice silbar en el aire. Las ratas y las comadrejas se quedaron inmóviles.

—Largaos, parásitos —grité, procurando poner voz de pirata—. ¡Largaos si no queréis que os corte a lonchas y os sirva para cenar!

Pero o bien no comprendían mis palabras o bien no se dejaban impresionar ni lo más mínimo. No retrocedieron en absoluto, sino que avanzaron hacia nosotros y empezaron a pincharme las piernas con sus espadas afiladas como agujas. Yo lancé estocadas, paré golpes y contraataqué con mi alfanje, pero esas alimañas no paraban de avanzar.

Estaba seguro de que esa apestosa pandilla de sabandijas era una tropa muy bien organizada, y me pareció que el jefe de esa tropa era la rata más grande y fea de todas que se mantenía un poco apartada del resto. Era tan grande que me llegaba a la altura de la cintura, tenía un hocico prominente y retorcido, y unos dientes descoloridos.

No paraba de mover su escamosa cola a un lado y a otro, y sus diminutos ojos negros brillaban con odio.

Ratso, jefe de las malolientes ratas

El ejército de ratas volvió al ataque. Me arañaron las piernas con sus afilados floretes y me clavaron sus horrorosos dientes todo lo que pudieron. Estaba claro que las ratas mandaban, pues las comadrejas permanecían detrás, con actitud amenazante, mientras escupían y siseaban como si se hubieran vuelto locas.

–¡Fuera! ¡Largaos! –grité, sacándome a las ratas de encima y dándoles puntapiés.

¡Era como si me estuviera atacando un enjambre de avispas asesinas! Pero entonces recordé la técnica del molinillo que me había enseñado Sue *la Sable*, y la apliqué: empecé a girar el alfanje en el aire y me lancé a la carga a toda velocidad.

Las ratas y las comadrejas chillaron de miedo y corrieron a esconderse mientras yo me lanzaba sobre ellas como un avión enloquecido. Durante todo el rato mantuve el alfanje girando delante de mí. Pero, de repente, ¡Renacuajo se quiso agarrar a mí por detrás y me puso las patas sobre los ojos impidiéndome ver nada!

¡Suéltame!

—Suéltame, Renacuajo —grité, sin ver nada.

Por suerte, Renacuajo me descubrió los ojos justo cuando estaba a punto de chocar contra un árbol. Me di la vuelta y vi que, por suerte, nuestros atacantes se estaban retirando: esos apestosos animales desaparecieron por entre los matorrales sin dejar de chillar. Con ellos desapareció también el mal olor. Renacuajo y yo nos quedamos solos, con el corazón acelerado.

—Bueno, ya basta. No pienso esperar a mañana. ¡Vámonos de aquí ahora mismo! ¿Quieres venir conmigo, Renacuajo? —le pregunté al topo, que continuaba temblando, mientras lo volvía a dejar en el suelo.

—¡Chiip! —repuso el animalito con convencimiento, aunque no estuve seguro de si me había comprendido.

Pero yo no estaba dispuesto a abandonarlo a su suerte en ese bosque.

—¡Al Armadillo Acorazado! —exclamé.

¡De cabeza al peligro!

Volvimos por donde habíamos venido a toda prisa, con el oído atento por si las ratas regresaban. Quizás habían ido a buscar refuerzos; quizá cayéramos en una emboscada

93

en cualquier momento. Pero no vimos, ni oímos, ni olimos nada, y pronto llegamos donde estaba el Armadillo Acorazado.

Metí la mano en la mochila y rápidamente saqué mis cromos de animales salvajes. ¿Podían decirme algo útil de nuestros atacantes?

CLASIFICACIÓN COMO DEPREDADOR

8

Rata gigante

¡Si crees que las ratas normales son asquerosas, espera a ver una rata gigante! Tienen un metro de largo, son rápidas, fuertes, listas, increíblemente malignas y muy, muy apestosas.

Cuando actúan en grupo pueden vencer fácilmente a animales mucho más grandes que ellas. Muerden con unos colmillos infectados de microbios y afilados como clavos. ¡No le deis nunca la espalda a una rata gigante!

COLECCIÓN DE CROMOS DE ANIMALES SALVAJES

¡Bueno, no decía nada que yo no hubiera ya averiguado por mi cuenta! Volví a guardar los cromos en la mochila y dirigí toda mi atención al Armadillo.

Renacuajo me ayudó a quitar todas las ramas con que lo habíamos cubierto para camuflarlo. Luego cogí una de las latas de gasolina, subí a la grupa, destapé el depósito y vertí el líquido dentro. En el depósito cabían las seis latas enteras y deseé que eso fuera suficiente para salir del bosque.

Puse la mano sobre el botón de arranque y tiré con todas mis fuerzas. El motor hizo un ruido raro y una negra columna de humo salió del tubo de escape.

—Vamos, aparato estúpido, tengo prisa —dije, dándole una patada.

¡Papá hacía eso cuando nuestro cortacésped no arrancaba! Tiré del botón por tercera vez y, ¡oh!, el motor, haciendo gorgoritos y soltando algún silbido, por fin se puso en marcha.

—¡Yuu-pii! —grité—. ¡Vamos, Renacuajo, es hora de irse!

Salté al asiento del conductor y el pequeño topo se instaló a mi lado. Apreté el acelerador y, sujetando cada palanca con una mano, las empujé hacia delante tal como decía el manual.

Por un segundo no pasó nada. Pero enseguida, con un terrible chirrido parecido al de mil uñas al rascar una pizarra, el Armadillo se lanzó hacia delante como un elefante borracho.

—¡Funciona! —exclamé.

Manejando las dos palancas, dirigí la máquina en dirección a los arbustos. Mientras el Armadillo se movía, el aceite que le había puesto en las articulaciones empezó a surtir efecto y el terrible chirrido cesó. Embestimos los arbustos con un fuerte ¡CRASH!, rompiendo ramas y pisando plantas enteras.

—Sujétate con fuerza, Renacuajo. ¡Va a ser un viaje agitado! —grité, para que me oyera a pesar del ruido del motor.

¡El pobre animalito, aterrorizado, se agarraba a su asiento con todas sus fuerzas mientras botaba arriba y abajo como si estuviera sentado encima de un muelle!

Pronto aprendí a manejar los controles del Armadillo Acorazado, pero el camino era difícil y más de una vez estuvimos a punto de caernos a causa de las sacudidas que provocaban los baches. Necesité poner toda mi atención para conducirlo. Avanzamos kilómetros y kilómetros por el oscuro e interminable bosque. Cuando iba a preguntarle a Renacuajo si quería que nos detuviéramos para comer algo, ¡WUUUSH! una pesada red cayó sobre nuestras cabezas desde uno de los árboles.

¡Una red nos cayó encima desde uno de los árboles!

–¡Socorro! –grité, debatiéndome para quitármela de encima.

Pero cuanto más me movía, más enredado estaba en la red. «Deben de haber sido las ratas –pensé–. ¡Han venido a por nosotros!» La red se enredó también en las palancas y perdí el control del Armadillo. La máquina chocó contra un árbol y el motor, soltando un bufido de protesta, se paró.

Salté del asiento hacia el suelo, pero las piernas se me enredaron también en la malla y caí hecho un nudo dentro de la red. ¡Oh, porras!

¡Tejones!

—¡Suéltame, sabandija! —grité, luchando para deshacerme de la red, que no me dejaba ver bien a mi alrededor.

A pesar de ello me pareció distinguir que unos pesados cuerpos se dejaban caer al suelo desde los árboles. «No son ratas gigantes —pensé—. Son demasiado grandes y pesados.»

—Apresadlos, chicos —oí que decía alguien con voz ronca y profunda.

Entonces, unas patas de largas garras empezaron a tirar de la red. Pude sacar la cabeza y vi a mis atacantes por primera vez: ¡estaba rodeado por una banda de tejones con aspecto de desalmados!

—¡Un momento! ¿Qué está pasando? —exclamé—. ¡Creí que los tejones eran buenos!

—¡Cállate, sucia rata! —dijo el más grande de ellos.

Era casi tan alto como yo, y tenía un hocico grande y grueso, además de unos hombros anchos y musculosos. Sus gigantescas patas terminaban en unas terribles garras, y llevaba un parche sobre un ojo. Sujetaba un bastón y con él se daba golpecitos en la palma de la otra pata superior con gesto amenazador.

—Yo no soy una rata —exclamé—. Soy Charlie Small.

—No intentes engañarme —gruñó el tejón—.
Huelo una rata a un kilómetro de distancia, y la
nariz del viejo Barcus nunca miente.

¿Cómo era posible que ese tejón hablara el
idioma de los seres humanos? Y hablaba como
un viejo y rústico granjero. ¡Era rarísimo!

Barcus se acercó husmeando el aire hasta que
tuvo el hocico pegado a mi cara. Inhaló con
fuerza.

—¡Puaj, asqueroso! —dijo, arrugando el
hocico—. Eres una rata. Una rata calva y
escuálida, pero una rata de todas formas.

—Vaya un olfato que tienes. Yo no soy una rata —grité—. En realidad, acabo de luchar contra un montón de ratas. Quizá todavía tengo el olor encima. Díselo, Renacuajo.

Miré a mi alrededor en busca del topo, pero entonces me di cuenta de que se había perdido.

—¡Oh, no! ¿Dónde está Renacuajo? —gemí.

—¿Buscas a alguien? —preguntó el tejón, desconfiado.

—¡A un topo! Había un topo conmigo —dije—. Él podría confirmar mi historia.

—¿Ah, sí? ¿Un topo que parece haberse desvanecido misteriosamente? ¡Un cuento muy creíble! —dijo Barcus, soltando una carcajada hueca—. Ya te he escuchado bastante. Chicos, llevad a esta rata calva a la madriguera. ¡Allí nos ocuparemos de ella!

—Estás cometiendo un error —protesté.

Pero dos tejones pasaron una larga rama por entre la malla, me levantaron del suelo y me

transportaron entre ambos por un estrecho camino que se adentraba en la parte más densa del bosque.

—¡Soltadme! —exigí.

Pero mis esfuerzos eran en vano. ¡Estaba atrapado como una rata!

En la madriguera de los tejones

Esos enormes animales me llevaron por serpenteantes caminos que se adentraban en el bosque como en un laberinto. Giramos a derecha e izquierda, retrocedimos y avanzamos por senderos que se escondían tras las ramas. Al final llegamos a una zona abierta de tierra blanda y seca, rodeada por los árboles más grandes que yo había visto en mi vida. Sus ramas llenas de hojas se extendían, enormes, por encima de nuestras cabezas, y sumían el lugar en una silenciosa sombra.

En el extremo opuesto del claro vi una hilera de pequeños montículos, como colinas en miniatura, y cada uno de ellos tenía un gran agujero en el suelo. Los tejones avanzaron hacia esos montículos, se metieron por uno de los agujeros y me llevaron por un largo pasillo que daba a una gran habitación circular.

Esa guarida era grande como una aula de escuela. Estaba completamente vacía, y tenía un techo grande y abovedado, y unas aberturas en las paredes. Alrededor de la sala había varios grupos de tejones sentados en taburetes. Las mamás y los papás charlaban tranquilamente. Algunos tallaban bastones, y otros fabricaban porras a partir de gruesas ramas de árbol. A sus pies, sus cachorros se peleaban y reían y rodaban por el suelo, jugando. Barcus se dirigió hacia una silla de respaldo alto que se encontraba en el otro extremo de la sala. Los tejones que me transportaban me depositaron en el suelo y me quitaron la red. Me puse en pie y miré a mi alrededor, nervioso.

—Rata, rata, rata —canturreaban los tejones—. ¡Rata, rata, rata, rata!

–No soy una rata, soy un niño –bramé.

Ya estaba harto de eso. ¡Estaba harto de verdad! ¡Confundirme a mí con un pestilente y hediondo roedor!

No me parezco en absoluto a una rata, ¿verdad?

–¡CÁLLATE! –gritó Barcus, en su trono de madera tallada.

La sala quedó en silencio. Entonces, mirándome, dijo:

–¡Sabemos que eres una rata! Notamos tu olor a rata, así que olvida este estúpido juego.

–Pero... –empecé a decir.

–¡Eh! ¡He dicho que TE CALLES! –volvió a vociferar el tejón–. Estás en un juicio que va a decidir tu vida. Y no esperes ninguna piedad, después de lo que has hecho.

–¿Qué se supone que he hecho? –pregunté.

–Sin avisar, tú y tu apestoso clan nos atacasteis en nuestras casas y nos sacasteis de nuestras antiguas madrigueras. Habéis matado a innumerables hermanos nuestros y habéis utilizado sus calaveras para construir ese horrible muro de la muerte. Habéis infringido el orden natural del bosque –rugió el tejón, mirándome con su único ojo–. Ahora todos nuestros amigos del bosque, los pájaros y los conejos, los zorros y los topos, se han ido a la linde del bosque –continuó–... Solamente las malvadas comadrejas se rindieron y se unieron a vosotras. Pero eso no es una sorpresa: esas sabandijas traidoras cambian de camisa a cada momento. ¿Qué tienes que decir en tu defensa?

—¡No soy una rata, maldita sea! —afirmé.

—¿No es este el comportamiento típico de esos roedores hipócritas y mentirosos?

—se burló Barcus, mirando a su alrededor y meneando la cabeza—. ¡Negar su identidad, cuando su olor lo delata! Bueno, rata, se te dará una oportunidad de sobrevivir: lucharás contra nuestro campeón de pesos pesados en un gran combate de gladiadores.

—¿Luchar? —gemí, como si de verdad fuera una rata.

—Exacto, ¡una LUCHA A MUERTE! —bramó Barcus, y todos los tejones soltaron exclamaciones de emoción.

—No, no lo comprendéis —grité.

—No, rata calva, eres tú quien no lo comprende. No tienes otra opción. ¡La sentencia ha sido dictada! —dijo el jefe de los tejones.

—¿Y quién es vuestro gladiador campeón? —pregunté con nerviosismo, mirando a mi alrededor.

—Soy yo —repuso Barcus sonriendo con crueldad.

¡Adiós, mundo cruel!

Ahora me encuentro en una antesala, preparándome para el combate contra Barcus y aprovechando lo que seguramente es mi última oportunidad de poner mi diario al día.

Colgado de un gancho, en la pared, hay un peto de cobre para mí y un escudo redondo de metal. Tengo el alfanje de la capitana Cortagargantas como arma, y soy bastante bueno con él, pero no me engaño: ¡no tengo ninguna esperanza contra Barcus!

A pesar de que solo me llega a la altura del hombro, es recio como un boxer, tiene unos brazos grandes y musculosos, una boca llena de colmillos ¡y un carácter feroz! Un único golpe de sus afiladas garras me dejaría como un queso rallado. ¡Oh, socorro!

Mi armadura

Acaban de llamar a la puerta para anunciar que quedan cinco minutos para «el espectáculo». Será mejor que me prepare. Si la próxima página está en blanco... ya sabréis cuál ha sido mi terrible destino.

El combate de gladiadores

Siento haber dejado esa página en blanco, pero ¡no podía escribir encima de esa horrible mancha! ¡Cómo es posible que todavía siga aquí! Dejad que os lo explique.

Un viejo tejón con canas vino a buscarme. Me puse la armadura, me colgué la mochila a la espalda y salí de la habitación tras él. Recorrimos un corto pasillo y llegamos otra vez a la sala. Habían puesto asientos alrededor de las paredes y la estancia estaba llena de ruidosos tejones que charlaban con gran excitación. Además compraban nabos crujientes y hamburguesas de escarabajos en unos tenderetes. ¡Se disponían a pasar un rato muy divertido!

Mientras esperaba delante de una de las paredes, un delgado tejón que llevaba un pañuelo alrededor de los hombros se colocó en el centro de la sala y levantó las dos patas de delante pidiendo silencio. Cuando el ruido disminuyó, el tejón empezó a hablar:

—Tejones, tejonas y pequeños cachorros, ¡bienvenidos a nuestro gran combate de gladiadores! —empezó el árbitro, y todos soltaron vítores de alegría.

Yo sentí un fuerte retortijón en la barriga y

las rodillas empezaron a flaquearme.

—Hoy tenemos un evento especial, pues nuestro jefe y campeón se enfrentará a un contrincante llorón, mentiroso, inútil y rastrero —continuó el tejón.

—Ese eres tú —dijo un viejo tejón que estaba a mi lado—. ¡No vas a durar ni cinco segundos!

—En la esquina del perdedor, quiero decir del contrincante, tenemos a... ¡Rata Calva!

La gente empezó a silbar y a ulular, y mi guardia me empujó hacia delante. Caminé hasta el centro de la sala. Tenía las piernas como la gelatina, y me quedé de pie, temblando, delante del árbitro.

—¡Y en la otra esquina, el campeón, nuestro querido jefe, vencedor de seis mil combates, Barcus Tejonero!

Barcus entró en el ring por una puerta lateral, juntó las dos manos y las levantó por encima de la cabeza. El público se volvía loco de alegría mientras él alardeaba haciendo unos pasos de boxeo y saltando.

—¡Voy a acabar contigo! ¡Te voy a destrozar! ¡Te voy a arrancar las piernas y los brazos! —rugía—. ¡Un directo a la mandíbula, un rápido gancho a la cara, luego un buen zarpazo y todo habrá terminado! Soy el mejor. ¡Sí!

El público volvió a vitorearle, golpeando el suelo con los pies.

—¡BarCUS! ¡BarCUS! ¡BarCUS!

Él no llevaba puesta ninguna armadura, y la única arma que tenía era un gran garrote de madera. A pesar de ello, no creí tener ninguna oportunidad de vencerlo. Pero no estaba dispuesto a dejar que viera lo muy asustado que estaba.

—Bueno, ¿y qué sucederá si yo gano? —pregunté—. ¿Me dejaréis libre?

—¡Grrrrr! —rugió el campeón, escupiéndome en la cara mientas me enseñaba los dientes—. ¡No vas a ganar, Rata Calva! Siempre hay un único ganador, y ese soy yo. Soy Barcus Tejonero, comandante del Ejército de los Tejones, general de la Legión de Animales, y verdadero Emperador del Bosque. Cumpliré mi venganza contra todas las ratas invasoras. ¡Aarg!

—Sí, vale —contesté—. ¿Y cuáles son las reglas?

—¿Reglas? Solamente hay una regla, paleto. El ganador vive, el perdedor... —Y Barcus se pasó un dedo por la garganta—. ¿Lo pillas?

Eh... lo pillo —dije. ¡Oh, socorro!

—Bien —dijo el árbitro—. Quiero una pelea limpia con muchos arañazos y mordiscos. ¡Que gane el mejor! Id a vuestros puestos, gladiadores. ¡Preparaos para el combate!

—Pelea, pelea, pelea —rugía el público mientras nosotros íbamos hacia nuestras respectivas esquinas.

De repente, ¡clang!, se oyó una campana y el estómago se me llenó de mariposas. El combate de gladiadores había empezado.

¡Chico contra tejón!

El público dejó de vitorear y empezó a golpear el suelo con los pies a un ritmo lento y amenazador que resonó por toda la sala. Entonces Barcus cargó contra mí haciendo girar su garrote por encima de mi cabeza. Cayó sobre mí antes de que yo tuviera tiempo a reaccionar y lo único que pude hacer fue levantar el escudo. ¡Cras! El garrote golpeó el metal con tanta fuerza que me tumbó al suelo. El tejón rugió y volvió a hacer girar el garrote acercándose a mí mientras yo permanecía tumbado. ¡Tum! ¡Rodé a un lado y conseguí esquivar el golpe, pero solo por unos centímetros!

—¡Grrrr! —gruñó Barcus, frustrado y avanzando hacia mí de nuevo.

Me puse en pie rápidamente. Esta vez, cuando me golpeó, yo lo estaba esperando y le contraataqué con mi alfanje. El tejón tuvo que agacharse para evitar la afilada hoja de mi arma. Entonces empezamos a dar vueltas lentamente

el uno frente al otro mientras el público golpeaba el suelo sin cesar.

No quería hacerle daño a ese tejón, pero me encontraba en una situación difícil y estaba claro que él no iba a hacer prisioneros, así que ataqué. Le propiné un golpe con intención de hacerle perder el garrote, pero él saltó a un lado con agilidad y levantó el garrote haciéndolo girar sobre su cabeza. Volví a levantar el escudo y, de nuevo, paré el golpe. De inmediato, Barcus, utilizando el garrote como si fuera un ariete, me lo clavó en el estómago.

–¡Aargh! –exclamé.

Salí disparado hacia atrás y caí en el suelo, mareado y sin respiración. Mi peto había quedado abollado, y estaba seguro de que si no lo hubiera llevado puesto el tejón habría acabado conmigo. Barcus sonrió con crueldad y se lanzó hacia mí como un tren expreso. Levanté el alfanje y el tejón se detuvo de inmediato, a pocos centímetros de la afilada punta de mi espada. Pero, sin perder tiempo, me propinó un golpe lateral con todas sus fuerzas y partió mi alfanje por la mitad. ¡Socorro! Cogí uno de los trozos, que no era más grande que un puñal, y me alejé corriendo de mi atacante tuerto.

El público se volvió loco, pues esperaba que

Mi espada se partió por la mitad. ¡Socorro!

hubiera un derramamiento de sangre. Me retiré hacia un extremo del cuadrilátero mientras rebuscaba en la mochila, que todavía llevaba colgada de la espalda.

Mi mano tropezó con la botella de agua, pero eso no me servía. Luego, con un cráneo de murciélago: eso tampoco servía. Por fin encontré mi lazo. ¡Ah, eso estaba mejor! Gracias al cielo que no lo había dejado en el refugio del árbol. Lo saqué de la mochila y me lo colgué del hombro.

Barcus se mostraba un poco más precavido ahora, pues se daba cuenta de que el combate no iba a ser tan fácil como había creído. Dio unos pasos hacia delante, mirando con su único ojo mi lazo y mi alfanje roto y pasándose el garrote de una garra a otra.

—¡Pelea, pelea, pelea! —bramaba el público, que se había puesto en pie.

—Eres bastante bueno —dijo Barcus, sin resuello.

—Tú tampoco eres malo —repuse, mientras volvíamos a dar vueltas el uno frente al otro.

—Sí, hubiéramos podido hacer un buen equipo, tú y yo, si no fueras una rata —gruñó—. Es una pena que esto tenga que terminar así.

Sin esperar respuesta, el tejón se lanzó a la carga otra vez. Yo desplegué el lazo, lo hice girar sobre mi cabeza y lo lancé. Debía aprovechar esa única oportunidad si no quería terminar hecho papilla. Barcus levantó el garrote con una pata y lanzó un zarpazo hacia mí mientras avanzaba con una expresión decidida en el rostro.

El lazo cayó sobre sus hombros y di un fuerte tirón para apretar el nudo. El tejón se detuvo en seco y miró la cuerda, sorprendido.

—¡Te tengo! —grité.

Pero me había precipitado. Barcus cogió el lazo con una de sus poderosas garras y tiró con todas sus fuerzas. El otro extremo de la cuerda todavía estaba sujeto a mi hombro y ese fuerte tirón me hizo perder el equilibrio y caer de espaldas al suelo.

—No lo creo, calvorotas —bramó el tejón, lanzándose a la carga otra vez.

Oh, diablos, ¿qué podía hacer? Volví a meter la mano en la mochila y cogí lo primero que encontré. Oh, maldición, era el cráneo de murciélago otra vez. ¿Qué podía hacer con él? Entonces, mientras el monstruoso tejón se cernía sobre mí, tuve una idea. Separé las dos mandíbulas de ese cráneo y las lancé bajo los pies de Barcus. Sin querer, Barcus pisó una de ellas.

—¡Ayyyy! —gritó el tejón al notar los afilados dientes del murciélago clavados en la planta de su pie.

Empezó a saltar sobre un pie de un lado a otro, pero entonces pisó la otra mandíbula con el pie sano.

—¡Doble aaayy! —gritó.

El tejón cayó al suelo como un árbol talado, dándose un fuerte golpe en la cabeza.

—¡Gnarrrr! —rugió.

Barcus se había quedado casi sin respiración y el golpe en la cabeza lo había dejado completamente confundido. Yo corrí hacia él y coloqué la punta de mi alfanje sobre su pecho, arrodillándome encima de sus brazos para evitar que utilizara sus mortíferas zarpas. Barcus se había quedado sin fuerzas por un momento, y me miraba, extrañado, con su único ojo. Entonces, dijo:

—Lo has conseguido, rata. Me has vencido. Ahora termina el trabajo.

El público se había quedado en silencio. Yo levanté la vista hacia el árbitro. Él dudó un momento, pero al final alargó un brazo y, despacio, señaló el suelo con su pulgar. Yo sabía lo que eso significaba. ¡Acaba con él! Pero miré a Barcus otra vez y supe que no podía hacerlo. Era verdad que ese tejón estaba un poco chalado, pero ¿quién no lo estaría si un ejército de ratas le hubiera echado de la casa de sus ancestros? No, no hubiera estado bien.

Me puse en pie, levanté los trozos de mi alfanje y los tiré al suelo.

—¡No! —grité, dirigiéndome a los silenciosos tejones que nos rodeaban—. Hoy no habrá ninguna muerte.

—Tienes que hacerlo —dijo Barcus, en el suelo—. Es la ley, ¡la única ley que existe!

—Bueno, pues no voy a hacerlo —repliqué—. Yo no tengo ninguna cuenta contigo.

Barcus se puso rápidamente en pie, pero estaba confuso.

—Quizá no seas una rata, al fin y al cabo —dijo—. Una rata nunca le perdonaría la vida a un tejón.

—Te he dicho un montón de veces que no soy una rata. Soy un ser humano, y llegué a esta tierra perdida arrastrado por el mar. Fui atacado por las ratas. Si mi amigo Renacuajo estuviera aquí, os lo podría decir —grité.

Y justo en ese momento oí un chillido agudo:

—¡Chiip!

Todo el mundo se dio la vuelta. Un pequeño y nervioso topo se había colado en la madriguera. ¡Mi fiel amigo había conseguido seguir mi rastro!

Haciendo planes

Renacuajo, Barcus, dos de sus generales y yo nos sentamos alrededor de una mesa de la madriguera privada de Barcus. Era una habitación muy bien amueblada, con unas bonitas alfombras y unos elegantes tapices en las paredes que representaban escenas de la historia de los tejones. En una esquina había una cama grande con dosel y una de las paredes estaba cubierta

Chiip

de estantes llenos de libros. Al lado de nuestra mesa había un escritorio repleto de papeles desordenados.

—Chiip, chiip, chiip —le decía Renacuajo a Barcus.

—¿De verdad? ¿En serio? —dijo el tejón—. ¿Lo has oído? —me preguntó.

—Me temo que no hablo el idioma de los topos —dije.

—Perdona, creí que sí, ya que si hablas tan bien el idioma de los tejones, también deberías hablar el de los topos.

—Pero yo no sé hablar en el idioma de los tejones —repuse—. ¿Qué te ha hecho pensar eso?

—Porque lo estás hablando ahora —dijo Barcus, sorprendido.

—No, estoy hablando el idioma de los humanos —aseguré.

—Pues suena como el de los tejones —dijo el tejón—. Qué raro. Quizá los humanos, o como sea que os llaméis, lo aprendisteis de los tejones. Eso lo explicaría todo.

—O los tejones lo aprendisteis de los humanos —repliqué.

—Bueno —dijo Barcus, mirando a su alrededor, hacia sus amigos tejones, riendo—. Eso es poco probable, ¿verdad? Sea como sea, lo que tu amigo está diciendo confirma tu historia completamente. ¡Luchaste contra las ratas y las hiciste huir! También ayudaste al topo cuando estaba perdido y le diste un hogar.

Creo que te debemos una disculpa, Charlie Small.

—No hace falta —dije—. Todos nos equivocamos. ¡Incluso el olfato de los tejones se equivoca!

—Sí, quizá tengas razón en eso —admitió el tejón, un poco incómodo—. Pero lo que no comprendo es que, si no eres una especie de rata calva, ¿porque hay una igual que tú que vive en la aldea de las ratas?

—¿Otra como yo? ¿Qué quieres decir?

—Pues eso. Hay un animal sin pelo igual que tú que vive con las apestosas ratas. Pero es más grande. Con menos pelo en la cabeza.

—Debe de ser un hombre —exclamé—. ¿Qué hace un hombre con esas malignas sabandijas?

—No tengo ni idea —repuso Barcus—. Quizá deberíamos averiguarlo.

—Quizá sí —asentí.

Misión de reconocimiento en la aldea de las ratas

Después de cenar unas verduras secas y llenas de barro, Renacuajo y yo pasamos la noche en la madriguera de Barcus. Por la mañana, Barcus y yo fuimos al bosque para observar la aldea de las ratas. Por el camino, el tejón me habló de esas ávidas ratas invasoras.

—Nos atacaron por la noche, por sorpresa —explicó, mientras avanzábamos sin hacer ruido por los caminos secretos de los tejones.

—No sabemos de dónde salieron esos demonios, pero eran miles. Invadieron el bosque como una apestosa plaga. Si yo lo hubiera sabido, no les hubiera sido tan fácil. Se llevaron prisioneros y sacrificaron a algunos de nuestros mejores guerreros encima de una gran losa de piedra. Por supuesto, en cuanto vieron de qué lado soplaba el viento, las comadrejas se unieron al enemigo. Pero ellas solas no son ninguna amenaza.

—¿Qué hiciste después? —pregunté.

—Solo podía hacer una cosa. Conduje a mi gente lejos de nuestros antiguas tierras y construimos un hogar nuevo en la parte más secreta del bosque. Hace algún tiempo que estamos planeando un ataque secreto, pero no estoy seguro de que tengamos fuerza suficiente todavía.

—¿Las ratas os siguen buscando? —pregunté.

—Oh, siempre nos están buscando. Seguramente tú fuiste atacado por una de las patrullas que salen en nuestra búsqueda.

Las odio, Charlie. Han matado a muchos, sin necesidad.

—Es horrible —dije, meneando la cabeza.

—Antes de la invasión, todos los animales del bosque vivían en armonía, en equilibrio, pero ellas lo han destruido. Las ratas han invadido el bosque y han tirado su basura en nuestra provisión de agua, envenenándola y convirtiéndola en un caldo tóxico. ¡Están matando el bosque, eso es lo que están haciendo, Charlie!

Yo sentí una gran pena por los animales del bosque y deseé poder hacer algo para ayudarlos. Pero ¿qué podía hacer un niño contra una aldea llena de ratas?

Después de mucho tiempo recorriendo el

Nos estábamos acercando

bosque, Barcus olisqueó el aire y dijo:

—Ahora nos estamos acercando, Charlie. No hagas ruido. Seguro que hay vigías por todas partes.

Seguí al tejón a través de una enorme pared de matorrales. Nos abrimos paso por entre las ramas intentando no hacer ningún ruido. De repente oí un ruido y la nariz se me llenó de un nauseabundo olor. Nos tumbamos en

el suelo, escondiéndonos. Dos roñosas patas de
rata se detuvieron justo delante de mi cabeza y,
al cabo de un momento, llegaron dos más. Las
ratas empezaron a hablar en pequeños chillidos.
Aguanté la respiración y, al final, se alejaron.

Continuamos avanzando, arrastrándonos por
el suelo como unos guerrilleros, hasta que, de
repente, vimos una aldea delante de nosotros. El
acre olor a rata llenaba el aire.

Esos roedores gigantes habían talado los árboles
y habían quemado los matorrales para tener un
espacio abierto del tamaño de un campo de fútbol.
Alrededor de esa zona habían construido unas
pequeñas chozas de barro cubiertas por hojas de
helecho a modo de techo. Encima de cada una
de ellas habían colocado una calavera blanca.
«¡Ugh! –pensé–. Son unas horripilantes idiotas.»
Allí cerca había una choza mucho más grande que

Parte de la aldea de las ratas

ocupaba casi todo uno de los extremos del claro.
Esa choza tenía un gran techo volado y un gran
porche que la rodeaba por completo. Las paredes
estaban hechas con los restos de sus víctimas.

—Cuando han terminado con sus víctimas, las
lanzan al embalse tóxico —explicó Barcus en un
susurro—. El agua envenenada arranca la carne
de los huesos y luego las ratas recuperan las
calaveras como trofeos de guerra.

Me estremecí de horror y me juré que nunca

Choza de la jefa ↗

me dejaría hacer prisionero de las ratas gigantes. ¡No quería terminar formando parte de una pared de cocina!

En el porche de esa choza había una silla y una mesa en la que alguien había estado comiendo recientemente, pues estaba llena de huesos y de pieles de frutas exóticas. Esa choza había sido construida con mucho más cuidado, y no hacía falta ser un genio para saber que era la casa de la jefa de las ratas.

La rata reina

Mientras observábamos, unas ratas salieron precipitadamente de detrás de unos edificios más pequeños y corrieron hasta tres troncos huecos que estaban al otro extremo del claro. Con dos largos y blancos huesos, empezaron a golpearlos, tocando un ritmo lento y amenazador.

Un montón de ratas y de comadrejas empezaron a salir de las chozas y, chillando y mordiéndose las unas a las otras, se reunieron en el centro del claro. Al cabo de un momento todo ese lugar estuvo lleno de fétidas ratas, pero no se veía al ser humano que había dicho Barcus por ninguna parte.

—Va a suceder algo —susurró Barcus.

El ritmo de los tambores hizo un crescendo y el aire vibró con esos poderosos golpes. Entonces se abrió la puerta de la choza más grande y ¡la reina de las ratas salió al porche! Era más alta que las demás, casi tan alta como Barcus, y era increíblemente gorda: tenía una papada tan grande que le llegaba hasta el pecho. Llevaba un cetro en una mano y una corona torcida en la cabeza.

—¡Mip! —hizo, levantando el cetro, y todas las ratas callaron—. ¡Mip, nip, pip, squik, iik!

La reina de las ratas estuvo dedicando un discurso a su emocionado público durante un cuarto de hora. Yo no entendí ni una palabra, pero Barcus, que hablaba fluidamente el idioma de las ratas, me lo tradujo.

–Dice que ha llegado el momento de limpiar

La rata reina

el bosque de tejones —susurró Barcus—. Sabe que estamos escondidos en algún lugar, y ahora están a punto de descubrir nuestro escondite. Dice que ayer por la mañana sus espías siguieron a un topo y a un niño que avanzaban por el bosque subidos sobre un enorme monstruo.

—¡Oh, no! Hemos delatado vuestro escondite —dije, sintiéndome apenado.

—No importa —dijo Barcus, que continuaba prestando atención al discurso—. Todavía no lo han encontrado. Se perdieron por los caminos secretos. Pero la reina va a enviar a su ejército de comadrejas mañana. Son unas exploradoras expertas y solo es cuestión de tiempo que nos encuentren. Mientras tanto, las ratas se dedicarán a fabricar las armas para el ataque definitivo, y luego acabarán para siempre con mi pueblo.

—Mientras hablaba, Barcus estaba cada vez más y más enfadado—. ¡Grrr! Viles sabandijas, les daré una buena lección.

De repente, se levantó, furioso, dispuesto a correr hasta el centro del claro.

—¡No, Barcus, no tienes ninguna oportunidad! —le dije en un susurro—. Ahora no puedes hacer nada.

—Pero tengo que hacer algo, Charlie —dijo el tejón, tumbándose en el suelo otra vez—. En cuanto descubran nuestro escondite, nos atacarán. Todavía no somos bastante fuertes para repeler a esos roedores, y eso significará el fin de los tejones y del bosque entero. Y cuando lo hayan arrasado, se irán a otro lugar.

Yo no sabía qué decir, y me pregunté si estaría bien que me quedara con ellos e intentara ayudarles. Pero ¿cómo podía hacerlo? ¡Yo solo era un niño de ocho años, aunque hiciera cuatrocientos años que estaba recorriendo el mundo! Entonces me acordé del Armadillo Acorazado. Eso sí podía ser de alguna ayuda.

La rata reina terminó su discurso y se sentó en la silla. La multitud de ratas se dispersó. Entonces, la reina dijo algo en voz alta dirigiéndose a alguien que estaba en el interior de la choza. ¡Cuando vi de quién se trataba, me di cuenta de que tenía que luchar contra las ratas tanto si quería como si no!

¡Una terrible sorpresa!

La puerta de la choza se abrió y, del oscuro interior, salió un hombre.

—Es él, esa es la criatura de quien te hablé. La que se parece a ti —dijo Barcus, dándome un suave codazo.

–Tienes razón –dije–. Es un hombre. Pero ¿por qué habla de esa forma tan rara?

El hombre llevaba una bandeja llena de leña y caminaba con pasos cortos, como a saltitos. Iba muy encorvado y no podía verle la cara, pero había algo en él que me resultaba muy familiar. ¿Se trataba de alguien con quien me había encontrado durante mis aventuras? ¿Quizás alguien de la montaña del Destino, o del Mundo Subterráneo? Vi que llevaba unos pesados grilletes en los tobillos, y por eso caminaba de forma tan extraña.

–¡Es un prisionero! –susurré–. Mira, lleva cadenas.

–Tienes razón –dijo Barcus–. Y yo que creía que era uno de ellos. Pobre diablo, no me gustaría ser prisionero de esa pandilla. Su vida debe de ser una desgracia.

El hombre dejó la bandeja encima de la mesa, al lado de la rata reina, e hizo una reverencia.

–¡Miip, iik! –chilló la reina y, cogiendo un matamoscas, le dio un golpe en la cabeza.

El hombre se retiró y se incorporó lentamente con una expresión de furia en el rostro. Entonces pude verle bien.

–¡NO! –exclamé en voz alta y, por un momento, el corazón dejó de latirme.

—¡Shhh! Cállate o tendremos a las ratas encima en cualquier momento. ¿Qué pasa? —preguntó Barcus.

—¡Lo conozco! —dije—. Conozco a ese hombre: ¡es mi padre!

El hombre tenía una expresión de furia en el rostro. ¡Horror! Era mi padre

De vuelta a la madriguera

Estaba tan conmocionado que no sé cómo llegué a la madriguera de los tejones. ¿Qué hacía mi padre allí? ¡Hacía cuatrocientos años que intentaba regresar a casa con mamá y papá, y ahora resultaba que él era esclavo de una pandilla de viles y crueles ratas en este húmedo y lóbrego bosque! ¿Qué demonios iba a hacer?

No sabía qué pensar. Pero ¡era fantástico volver a verlo otra vez! Estaba ansioso por que me contara sus aventuras, y enseguida supe qué tenía que hacer. ¡Tenía que arreglar el Armadillo Acorazado, ayudar a los afligidos tejones en su guerra contra las ratas y LIBERAR A MI PADRE DE LA ESCLAVITUD!

—Claro que te ayudaremos —dijo Barcus.

Estábamos sentados alrededor de la mesa de su madriguera. Nos habíamos reunido en un consejo de guerra con los generales tejones y hacíamos planes para adelantarnos a las ratas y atacarlas antes de que ellas nos atacaran a nosotros.

—Pero no tenemos mucho tiempo —continuó—. Las comadrejas exploradoras no tardarán mucho en encontrar nuestro escondite y entonces nos atacarán con todas sus fuerzas.

¡¡¡ Tengo que salvar a mi padre !!!

—Si podemos arreglar el Armadillo, creo que tendríamos una ventaja —dije, excitado—. Los inventos de Jakeman casi siempre tienen un par de trucos secretos escondidos en alguna parte. Si no, por lo menos lo podremos utilizar como tanque para atravesar el bosque e invadir su aldea, además de aplastar a algunas ratas con la maza de su cola. ¡Las vamos a aterrorizar!

—¿Cuánto tiempo crees que tardaremos en arreglarlo? —preguntó Barcus.

—Dos o tres días —dije.

—Ooh —exclamó Barcus, suspirando profundamente—. Es mucho tiempo, Charlie. Pero es nuestra única oportunidad. Empezaremos mañana por la mañana. ¿De acuerdo?

—De acuerdo —respondieron los generales.

—Chiip —dijo Renacuajo.

Preparándonos para la guerra

Hace dos días que estoy trabajando sin parar y estas son las últimas anotaciones que haré en mi diario antes del gran ataque. Esta noche saldré con el ejército de tejones para lanzar un ataque sorpresa sobre la aldea de las ratas. ¡Oh, socorro!

Volví a pasar la noche con los tejones y dormí en un colchón hecho con paja caliente y seca, después de haberme llenado con una abundante cena de gusanos e insectos. No tenían mal sabor, un poco como si fueran un aperitivo crujiente. Los únicos que no me gustaron fueron unos bichos grandes y gordos rellenos de un líquido que me estallaba en la boca cuando los mordía.

¡Puaj!

Por la mañana, los tejones cargaron el Armadillo Acorazado en un carro grande y pesado y lo transportaron hasta los matorrales, borrando las huellas tras ellos. Luego me puse a trabajar. Arreglé algunas abolladuras de la armadura con uno de los garrotes de los tejones y reparé una de las articulaciones del cuello del Armadillo. ¡Ahora la cabeza se podía mover libremente, como un enorme ariete! Descubrí que los ojos del animal podían centellear, y reconecté los cables sueltos. También descubrí cuál era el arma secreta del Armadillo… ¡y cómo utilizarla!

¡Ups! Se me cayó un poco de aceite.

Un tejón rollizo y con aspecto de matrona que se llama Bathsheba me echó una mano, y

Renacuajo también fue de gran ayuda. Me iba pasando con paciencia los destornilladores y la llave inglesa, iba a buscar las cosas que yo le pedía y, de vez en cuando, nos traía té de hierbas. De repente, uno de los tejones nos avisó en un susurro:

—¡Sssh! Que todo el mundo deje de trabajar.

Todos nos quedamos quietos y aguantamos la respiración. Una patrulla pasaba por allí cerca, a solo unos cuantos metros de donde estábamos. Al final se fueron y continuamos con nuestro trabajo, pero eso fue un buen recordatorio de lo cerca que estaba el enemigo.

Al día siguiente terminé todas las reparaciones, unté las articulaciones con aceite, comprobé todos los líquidos y pulí la armadura hasta que quedó brillante como la carrocería de un coche nuevo.

—Tengo noticias importantes —dijo Barcus, sacando un mapa de la aldea de las ratas—. Esta mañana he mandado a un miembro del SET, el Servicio Especial de los Tejones, para que vigilara la aldea de las ratas. Acaba de regresar y me ha informado de que los roedores tendrán una importante reunión esta noche: serán las instrucciones finales de la reina a sus tropas. Cree que ya saben dónde se encuentran nuestras madrigueras y preparan un ataque para mañana al amanecer.

—¡Caramba! —exclamé.

—Sí, caramba, joven Charlie. Hemos terminado justo a tiempo, y no tenemos otra alternativa que atacar esta noche. Haremos lo siguiente…

Barcus y sus generales explicaron que nos separaríamos en dos grupos y atacaríamos la aldea con un movimiento de pinza. Esperaríamos a que la reunión estuviera en su apogeo y entonces atacaríamos desde puntos opuestos del claro. Yo conduciría el Armadillo y le daría un susto mortal al enemigo para provocar tanto caos como fuera posible. Este es el mapa que Barcus utilizó para planificar el ataque:

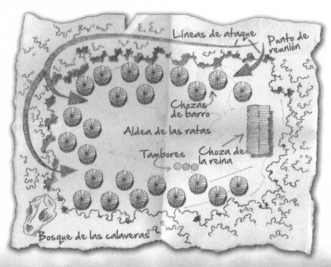

Parece una buena estrategia. Pero ¡espero que el Armadillo Acorazado se ponga en marcha! ¡Deseadme suerte!

Tomando posiciones

No podíamos arriesgarnos a conducir al Armadillo Acorazado hasta la aldea de las ratas, pues podría alertar al enemigo de nuestra presencia, así que lo cargamos en la carreta de los tejones y, tan silenciosamente como fue posible, lo arrastramos a través del bosque.

Al principio, hicimos tanto ruido pisando las ramas que Barcus mandó a unos cuantos de sus hombres a que se adelantaran y limpiaran el camino para que la carreta pudiera avanzar en silencio. Envolvimos las ruedas de la carreta con sacos como medida adicional y, aunque era un trabajo lento, conseguimos marchar a un ritmo constante.

Mientras avanzábamos, sucedió una cosa increíble: ¡un montón de animales del bosque empezaron a aparecer y se unieron a nuestra caravana! Había zorros astutos, una nutria muy forzuda, un jabalí solitario, unas cuantas liebres y un magnífico ciervo que tenía un cornamenta enorme.

Barcus sonrió:

—Están empezando a regresar a casa —dijo—. Oh, ¡ahora no debemos fallarles!

Cuando nos acercamos a la aldea de las ratas, Barcus divisó entre el follaje a un par de centinelas y nos hizo una señal para que paráramos. Cogió un saco como los que habíamos utilizado para amortiguar el ruido de las ruedas del carro y me hizo una señal para que siguiera a Bella. Bella era un miembro de su famosa tropa SET (¡solamente había dos miembros en esa tropa, y Barcus era el otro!). Nos pusimos de cuatro patas y nos adentramos a gatas en la densa pared de matorrales. Bella me hacía unas complicadas señales para indicarme adónde teníamos que ir. Silenciosos como ratones, rodeamos a los centinelas y nos colocamos a sus espaldas. Nos acercamos sigilosamente a nuestras presas y esperé, agachado en el suelo, a recibir una señal. El tejón levantó un puño y, entonces, uno tras otro, levantó tres dedos de su afilada garra. Uno, dos, tres, ¡ADELANTE!

Di un salto y, con un único y fluido movimiento, atrapé a una de las ratas pasándole el saco por la cabeza. Luego saqué el ovillo de

cordel que llevaba en la
mochila y, con él, até al
animal como si fuera un
paquete. Mientras yo
hacía eso, Bella cubrió el
hocico de la otra rata
con una de sus patas
y la tumbó al suelo.
Al verlo, le lancé
el ovillo de cordel
para que atara a la
otra centinela. Genial:
trabajo cumplido y sin
hacer ningún ruido. ¡Empezaba a ser muy bueno
como guerrillero!

Oímos los tambores, que anunciaban el inicio de
la reunión de ratas. Bella silbó con suavidad y las
tropas avanzaron. Seis fornidos tejones bajaron el
Armadillo de la carreta, pero al hacerlo les resbaló
y el animal de acero cayó al suelo rompiendo un
montón de ramas y agitando todos los arbustos
que nos rodeaban.

—¡Shhh! —susurró Barcus, nervioso—. ¡Habéis
hecho ruido para despertar a un muerto!

Pero los tambores continuaron sonando y
oímos la aguda voz de la rata reina, que empezaba
su discurso.

—Bien, ha llegado la hora. ¡Todos a vuestras
posiciones!

Tragué saliva: ¡ya estaba! Íbamos a entrar en batalla contra un ejército de ratas muy bien entrenadas y acompañadas de sus vasallas las comadrejas. En ese momento deseé estar en la segura madriguera de los tejones con Renacuajo y los cachorros a mi lado.

¡La batalla decisiva!

Los tejones se colocaron detrás de la línea de árboles que rodeaban el claro de la aldea de las ratas. Yo subí al asiento del conductor del Armadillo Acorazado. Comprobé los mandos y abrí el compartimento de los botones que manejaban las armas secretas del animal mecánico. Tenía la esperanza de que esas armas nos ayudaran a derrotar a nuestras peligrosas enemigas. Es decir, en caso de que funcionaran, porque no había tenido oportunidad de comprobarlo.

Miré entre las hojas de un árbol y vi a la rata reina. Estaba de pie encima de una plataforma y gesticulaba vivamente mientras decía su discurso. De vez en cuando hacía una pausa, para causar mayor impresión, y el ejército de comadrejas y de ratas, bien armadas, aplaudían con fuerza. Pero no vi a papá por ninguna parte.

Entonces, de repente, Barcus soltó un

poderoso rugido y su ejército se lanzó a la batalla. Los tejones corrieron hasta el claro golpeando el suelo con sus garrotes y enseñando sus largos y afilados dientes. Por un momento, las ratas se quedaron petrificadas a causa de la sorpresa. Su reina continuaba con el discurso, sin darse cuenta de lo que sucedía a sus espaldas. Pero en seguida percibió que algo iba mal y se dio la vuelta.

—Sssss —siseó, al ver al ejército de tejones que se lanzaba a la carga—. ¡MIIIIP! —chilló.

De inmediato, la comandante del ejército de las ratas dio orden a su batallón de que se enfrentara a los tejones. Al mismo tiempo, el otro grupo de tejones, acompañado de los zorros, las liebres y el poderoso ciervo, salió de detrás de los árboles del extremo opuesto y también se lanzó a la carga profiriendo potentes gritos.

¡A la carga!

En cuestión de segundos, el caos fue absoluto. Los tejones y las ratas se enzarzaron en un combate mortal. Las comadrejas y las liebres se golpeaban sin piedad; el ciervo lanzaba una rata tras otra por los aires con su poderosa cornamenta… ¡y había llegado mi turno de actuar!

Tiré del botón de arranque pero, al igual que la vez anterior, no sucedió nada.

—No me falles ahora —grité.

Pero por mucho que tirara del botón de arranque, la máquina se negaba a ponerse en marcha. Ni siquiera un ruidito para disimular. ¿Qué le pasaba a ese maldito bicho?

¡Y entonces me acordé! Oh, qué tonto. Mientras reparaba la máquina, había cerrado la llave de paso de la gasolina. Rápidamente me arrastré por la grupa del Armadillo y levanté la tapa del motor. Metí la mano entre tubos, bujías y correas, buscando la válvula de la gasolina. ¡Ah! ¡Ahí estaba! La giré, volví a cerrar la tapa del motor y regresé a mi asiento. Tiré del botón de arranque y el motor se puso en marcha. Sonaba como un coche de carreras.

—¡Yuu-pi! —grité y empujé las palancas mientras apretaba el pedal del acelerador con el pie.

El Armadillo se lanzó a la carrera por entre los árboles y salimos al claro lanzando una cascada de hojas y ramas a nuestro alrededor. ¡El armadillo debía de parecer una tortuga enloquecida!

Encendí los ojos del animal y estos brillaron con expresión amenazadora. Apreté de nuevo el acelerador y el motor rugió como un león. Unas ratas miraron, asustadas e inmóviles, con la boca abierta por el espanto. Un tejón grande aprovechó y las golpeó en la cabeza, haciéndolas caer al suelo. En ese momento, unas comadrejas vieron al Armadillo y, dejando caer las armas al suelo, salieron corriendo hacia el bosque sin dejar de chillar y encogidas de pavor.

—¡Yupiii! —grité—. ¡Acercaos si os atrevéis!

Pero todavía quedaban muchas ratas. En realidad nos superaban en número sobradamente, así que la batalla prosiguió.

¡Niño contra rata!

Conduje al Armadillo Acorazado por entre los combatientes, en dirección a las chozas de barro. Cuando estuve cerca de las primeras chozas, puse en marcha la cola del animal, que empezó a balancearse de un lado a otro y por fin cayó contra la pared de una de las chozas golpeándola con la maza. ¡Crash! La pared de barro seco se rompió como si fuera de cristal y el techo de paja cayó al suelo. Avancé hasta la siguiente cabaña, y luego hasta la otra, haciendo lo mismo. Convertí las casas de las ratas en un montón de escombros.

Pero entonces una de las comadrejas que habían permanecido en el campo de batalla saltó a la grupa del Armadillo, levantó la tapadera del motor y metió la pata dentro.

Dando un tirón, arrancó una de las bujías y la sacó con expresión de triunfo. El motor del Armadillo restalló un par de veces y se paró.

—Devuélvela a su sitio, miserable comadreja —exigí.

Pero el animal emitió unos ruiditos de alegría y le lanzó la bujía a la rata comandante. Esta sonrió con crueldad y chilló, como diciendo:

—Si la quieres, ven a buscarla.

No tenía alternativa: era necesario que recuperara la bujía. Salté del asiento del conductor hasta el suelo, y la rata comandante se acercó a mí mientras desenfundaba un fino florete que llevaba colgado del cinturón.

—Miip iip —chilló, burlona.

—Miip iip para ti también —repliqué.

Me agaché y cogí un trozo grande de viga de una de las chozas demolidas. Pensé que podía utilizarla a modo de bastón, como el pequeño John en las historias de Robin Hood.

La rata comandante lanzó una estocada con su florete pero yo paré el golpe con el bastón. La comandante volvió a atacar haciendo girar la punta del florete en círculo, intentando darme en los dedos. Pero yo la esquivé saltando a un lado y descargué el bastón sobre su cabeza.

—Iiiiik —chilló, con enojo.

La rata le lanzó la bujía a su compañera comadreja y yo di un salto en el aire intentando cogerla al vuelo, pero fallé. La comadreja la cazó y me la mostró, burlándose de mí y chillando de la emoción. Corrí hacia ella, pero el animal volvió a lanzarle la bujía a la rata comandante. Durante unos minutos estuvieron jugando de esta manera conmigo, pasándose esa importante pieza de mi máquina la una a la otra.

—Devolvédmela, sabandijas —gritaba yo, pero por mucho que me esforzara, no conseguía hacerme con ella.

La rata comandante, cansándose del juego, se lanzó al ataque contra mí. Conseguí propinarle un fuerte golpe en el florete y, rápidamente, me di la vuelta dibujando un arco en el suelo con el

bastón y golpeándole las patas. La rata cayó al suelo y perdió la bujía.

—Ssss —siseó el roedor.

Me lancé de barriga al suelo para coger la bujía. Cuando la tuve en mi mano, me la metí en el bolsillo, di dos vueltas por el suelo para alejarme de ahí, me puse en pie de un salto y volví a plantarle cara a la rata comandante. La rata se abalanzó contra mí blandiendo su flexible florín en el aire. Haciendo un molinete con el bastón, desvié el florín golpeándolo con uno de los extremos y, con el otro, le propiné un buen revés justo en el estómago.

—¡Uuf! —exclamó la rata, cayendo al suelo de rodillas y respirando con dificultad.

Corrí hasta el Armadillo y con los dedos temblorosos a causa de los nervios, coloqué la bujía en su sitio otra vez. Lo hice justo a tiempo, porque en el mismo momento en que volvía a sentarme en el asiento del conductor, la rata había recuperado las fuerzas y volvía a ponerse en pie. ¡Brrrrm! El motor se encendió con un rugido y puse en marcha la cola. La pesada maza se balanceó en el aire y chocó contra las costillas de la rata, que salió volando por el aire y cayó sobre los matorrales del bosque. ¡Uau! Había ido de poco.

¡El rescate de papá!

Empujé las palancas y el Armadillo se puso en marcha. Avancé derribando todas las chozas que encontraba en mi camino y levantando enormes nubes de polvo a mi paso. A mi alrededor, la batalla progresaba con furia. Casi todas las comadrejas habían desaparecido; las cosas se habían puesto demasiado difíciles para ellas, así que habían escapado al bosque chillando sin parar. Unas cuantas de ellas habían decidido cambiar de bando y pasarse al ejército vencedor, y ahora peleaban contra las ratas. ¡Barcus tenía razón: las comadrejas no eran fieles a nadie!

De repente me di cuenta de que el Armadillo avanzaba hacia la choza de la rata reina. Ante la puerta delantera había un grupo de ratas que vigilaba el edificio. ¡La gorda reina debía de estar escondida en el interior, con las rodillas como gelatina y la papada temblándole como un flan!

Las guardias levantaron las espadas. Yo empujé las palancas al máximo para poner el Armadillo a toda velocidad y volví a encender los ojos del animal. Cuando las ratas vieron que ese animal mecánico iba en línea recta hacia ellas con los ojos encendidos y la cabeza balanceándose de un lado a otro como si estuviera husmeando el aire, dejaron caer las armas al suelo y salieron corriendo en todas direcciones.

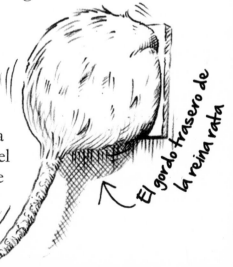

Conduje el Armadillo en línea recta hacia la fachada de la choza y, con un terrible estruendo, la derribé. Los cráneos del tejado cayeron al suelo como rocas, a mi alrededor, y se alejaron rodando por todas partes.

Cuando el Armadillo avanzó hasta la habitación principal, vi un trasero enorme y peludo que intentaba colarse por la ventana trasera de la choza. ¡La rata reina intentaba escapar! Se había quedado atascada, pero, con un último intento, salió disparada hacia fuera como un tapón de champán, rebotó en el suelo y empezó a gritar a sus guardias.

Detuve el Armadillo y miré a mi alrededor. La habitación estaba vacía; las paredes, blancas, reflejaban la media luz del día, y el suelo estaba lleno de trozos de comida podrida y de

El gordo trasero de la reina rata

basura. En un rincón había un sucio fajo de telas a modo de cama, y en otro, una puerta pequeña y con barrotes. «Allí debe de estar mi padre», pensé. Puse el Armadillo en marcha otra vez y avancé hasta llegar justo delante de la puerta.

—¡Apártate! —grité, para hacerme oír a pesar del ruido del motor del Armadillo.

Sin dudar, accioné la pesada maza de la cola y la hice impactar contra la puerta, rompiéndola en pedazos. Papá, tembloroso, salió de su prisión con una expresión de gran confusión en el rostro.

—¿Charlie? —exclamó—. ¿Charlie? ¿Qué demonios estás haciendo aquí?

—¡Yo podría hacerte la misma pregunta, papá, pero no hay tiempo para explicaciones! ¡Sube al Armadillo! —dije, emocionado.

¡Estaba tan contento de verlo otra vez! Pero papá se quedó inmóvil, como si estuviera mareado.

—Deprisa, papá. ¡Tenemos que ir a luchar! —grité.

—Oh, de acuerdo, Charlie —respondió él, todavía con cara de sorpresa.

Intentó trepar a la grupa del Armadillo, pero la cadena que llevaba en los tobillos era muy corta y no podía levantar el pie lo suficiente.

—Siéntate, papá —dije—. Siéntate y alarga las piernas hacia delante.

Papá obedeció, sin tener ni idea de lo que estaba pasando. En cuanto se hubo colocado en la posición correcta, hice retroceder un poco el Armadillo, levanté la maza de la cola y la dejé caer sobre la cadena. ¡¡Chás!!

—¿Qué…? —gritó papá, atónito.

—Quédate quieto, papá —le ordené, mientras repetía la misma operación y la enorme bola de metal llena de púas caía entre sus tobillos.

¡CHÁS! Dos de los eslabones se rompieron y la cadena se partió en dos.

—¡Vamos, sube, no hay tiempo que perder!

Papá trepó a la grupa del Armadillo y yo hice que el animal diera la vuelta. Inmediatamente atravesamos el agujero de la pared por donde habíamos entrado y nos pusimos en acción. ¡Había llegado el momento de utilizar el arma secreta del Armadillo!

—¿Qué demonios está pasando, Charlie? —preguntó papá, que todavía parecía sumido en un sueño.

—Ya te lo explicaré luego. ¡Ahora, agárrate con fuerza!

El Armadillo se balanceó furiosamente al trepar por encima del montón de escombros de la choza de la reina. Papá me miró con expresión preocupada.

—Ten cuidado, Charlie. Será mejor que me dejes llevarlo a mí. ¡Tú ni siquiera tienes permiso de conducir! —dijo.

—No tengas miedo, papá —suspiré—. ¡Hace cuatrocientos años que estoy haciendo cosas como esta!

1. SMALL
2. CHARLIE
3. 17-04-01 BOSQUE DE LAS CALAVERAS
4a. 20-06-09 4b. PERMISO DE CONDUCCIÓN DE ARMADILLOS ACORAZADOS

Charlie Small.

DIRECCIÓN: MADRIGUERA DE TEJÓN
BOSQUE DE LAS CALAVERAS
CONDADO DEL TEJÓN BS1 Fs

¿Cómo sería un permiso de conducción de Armadillos?

Eché un vistazo al claro y vi que Barcus había arrinconado a la rata reina delante de un muro en ruinas de una de las chozas. Las guardias de elite de la reina rodeaban a su monarca y estaban a punto de vencer a Barcus. En el claro, los mamporros y los guantazos estaban en pleno apogeo. Las ratas caían al suelo, atontadas por los porrazos en la cabeza que les propinaban los tejones. Por su lado, los tejones tenían que curarse los arañazos y los mordiscos de los infectados dientes de las ratas. Los dos bandos parecían empatados. Pero ¡yo tenía el arma que podía cambiar la situación!

Dirigí el Armadillo hacia un gran grupo que estaba combatiendo.

—¡Apartaos, tejones! —ordené—. ¡Retirada!

De inmediato, los tejones dejaron de blandir sus garrotes y me interrogaron con la mirada. No tenían ni idea de lo que yo iba a hacer, pero obedecieron y se apartaron de allí. Las ratas empezaron a celebrar su retirada, creyendo que habían vencido. ¡No tenían ni idea!

Abrí el compartimiento bajo la armadura del Armadillo y apreté uno de los botones que había en el cuadro de mandos. Al instante se abrió una portezuela que había en los hombros del Armadillo y de allí dentro salió una pequeña boquilla.

—¿Qué estás haciendo, Charlie? —preguntó papá—. ¿Cómo puede ser que sepas manejar este trasto… y qué demonios es, por cierto?

—Después, papá, después —le dije, sonriendo—. ¡Siéntate y disfruta de la fiesta!

—¡Eh, ratas, decid «Luiiiiis»! —grité.

Las ratas, como si estuvieran posando para que les hicieran una foto, se giraron y nos miraron. ¡Algunas incluso sonrieron! Apreté otro botón y «fiiiuuuum», la boquilla lanzó un fuerte chorro de una pasta brillante y azul que cayó sobre ellas y las cubrió de la cabeza a los pies. Algunas quisieron huir, pero en cuanto esa pasta les cayó encima, se quedaron inmóviles como estatuas.

—Es una gelatina de secado extra rápido inventada por Jakeman —le expliqué a papá.

—Ah, comprendo —repuso él—. Charlie…

¡splash!

—¿Qué? —pregunté, mientras continuaba disparando a las ratas y dejándolas congeladas en distintas poses.

—¿Quién demonios es Jakeman?

—Es un amigo mío, el inventor que fabricó esta máquina. Esta pasta se seca y queda dura como el cemento en cuestión de segundos. En el compartimento hay un folleto que lo explica todo.

—Pero ¡eso es horrible! —exclamó papá—. ¡Sé que las ratas son desagradables, sucias y vengativas, pero van a morir de hambre lentamente si están cubiertas de ese pasta!

—No te preocupes —respondí—. El folleto dice que el cemento se diluye al cabo de un par de horas. ¡Para entonces ya las habremos enjaulado o las habremos triturado!

—Cielos, Charlie, no tenía ni idea de que fueras tan sangriento.

—Hay muchas cosas de mí que no sabes, papá, ¡y esto es cuestión de vida o muerte!

El estanque tóxico 〈〈〈

Cuando las ratas se dieron cuenta de
que algunas de sus compañeras se estaban
convirtiendo en estatuas, entraron en pánico y
empezaron a correr en círculos, intentando huir
al bosque. Pero yo se lo impedía y las obligaba
a regresar con los tejones. Estos, golpeando el
suelo con los garrotes, las obligaban a avanzar
por un ancho camino que salía del claro.

—¡Rarr! —rugían los tejones al unísono
mientras perseguían a las ratas.

Papá y yo los seguíamos montados en el
Armadillo. Yo apretaba el acelerador y el motor
rugía como un dragón enfurecido. Delante de
las ratas a la carrera iba su reina, que avanzaba a
toda velocidad sin dejar de chillar ni un instante.
Entonces la reina tropezó y cayó al suelo, y las
demás ratas le pasaron por encima,
pisándola. ¡Vaya unos súbditos
leales!

Cuando la reina volvió
a ponerse en pie, Barcus
llegó a su lado. El tejón
blandió el garrote
y le propinó un
fuerte golpe en
el trasero.

—¡MIIP! —chilló la reina, que salió corriendo por el camino.

El sendero descendía por una colina hacia otro claro que se abría entre los árboles. Miré por entre las hojas de los árboles y vi que, a lo lejos, había un gran estanque verde, lleno de algas y de espuma. Las aguas burbujeaban y de la superficie se elevaban unas nubes de vapor que se esparcían en el aire formando una densa niebla alrededor del estanque.

—¡Puaj! —exclamó papá—. ¿Qué es eso?

—Debe de ser el estanque tóxico —dije—. Las ratas lo han contaminado y lo utilizan para descomponer a sus víctimas.

—¿Para hacer qué? —exclamó papá—. Charlie, ¿en qué andas metido?

No tenía tiempo de contestar, pues necesitaba toda mi concentración para conducir el Armadillo por esa pronunciada cuesta que llegaba hasta el claro.

Los tejones continuaban rugiendo y golpeando el suelo con sus garrotes. El ciervo bramaba y las liebres hacían retumbar el suelo con sus grandes pies. Las ratas, muertas de miedo, corrieron en línea recta hasta al fétido estanque y se zambulleron en esas aguas tóxicas y llenas de esfervecencias químicas. ¡Se sumergieron todas excepto la reina, que cayó de rodillas y, juntando las patas delanteras, chillaba pidiendo clemencia!

Barcus la agarró por el pescuezo y la obligó a ponerse en pie.

—Bella —dijo—. Vigila bien a este bicho asqueroso.

Mientras Bella se llevaba a la rata reina, las aguas del estanque empezaron a emitir unos extraños silbidos. Unas grandes nubes de vapor se elevaban en el aire, como el vapor de una tetera, y ocultaban el estanque a la vista. El hedor era insoportable y todos empezamos a toser al unísono. Al final, los silbidos y el vapor disminuyeron y el aire empezó a aclararse. No se veía a ninguna rata por ninguna parte.

—Ya está, Charlie, han desaparecido —dijo Barcus—. ¡Las ratas invasoras se han descompuesto!

Los tejones soltaron gritos, gruñidos y ladridos de alegría.

—Pero ¡esto es asqueroso! —dijo papá.

Las ratas invasoras se habían descompuesto en el estanque

¡Mi papá es un héroe!

—Oh, papá —suspiré—. Esas sabandijas mataron a un montón de tejones inocentes y construyeron su aldea de ratas con las calaveras de sus víctimas. No tuvieron ninguna compasión. ¡Y lo que es peor, de alguna forma consiguieron que tú fueras esclavo de su asquerosa reina!

—Sí, tienes razón —dijo papá y, sonriendo, corrió hasta donde se encontraba la rata reina y le dio una fuerte patada en el trasero.

—¡Miip! —se quejó la reina.

—Eso es por todos los golpes que me diste, viejo y gordo saco de porquería —dijo papá—. ¿Qué le va a pasar ahora? —preguntó.

—Oh, construiremos una fuerte jaula para meterla dentro —rio Barcus.

—Papá, te presento a Barcus, el jefe del clan de los tejones, los verdaderos guardianes del bosque —dije.

Barcus y papá se estrecharon la mano. Luego, mirando a Barcus, añadí:

—Las ratas inmovilizadas pronto podrán moverse otra vez. Esa pasta solo aguanta un tiempo.

—Sí, íbamos a preguntarte por esa pasta que has utilizado —dijo Barcus—. Fue un acto genial. ¡Bien hecho, Charlie!

—No me lo agradezcas a mí. Eso es cosa de Jakeman —dije.

—Oh, y olvidé darte las gracias por haberme rescatado —le dijo papá al tejón, volviendo a estrecharle la mano.

—No hay de qué, amigo. ¡Un enemigo de las ratas es un amigo de los tejones! —dijo Barcus, sonriendo.

«Típico —pensé—. ¿Cómo es posible que Barcus se lleve las felicitaciones?»

—Disculpad, ¿qué vamos a hacer con las ratas cubiertas por esa pasta? —pregunté, intentando romper esa complicidad de mutuo reconocimiento.

—Las pondremos a todas en la jaula con su reina —dijo Barcus—. Si se portan bien, las trataremos bien. Si no, pondremos la jaula encima de unos troncos flotantes y la soltaremos en el mar. Lo que me preocupa es el estanque. Antes contenía el agua más pura del bosque. Ahora no es más que un charco cargado de bacterias.

—Oh, creo que os puedo ayudar en eso —dijo papá, sacándose una cajita del bolsillo trasero del pantalón y agitándola en el aire—. Esto quizá funcione. Son pastillas purificadoras de agua. Iba a limpiar el agua del estanque de casa cuando, de repente, me encontré aquí.

Papá dio la vuelta a la cajita y lanzó unas treinta pastillas grandes en las verdes aguas. De inmediato, el agua empezó a sisear y a formar espuma por toda la superficie. Pero, poco a poco, volvió a aclararse.

—Si esperamos unas cuantas horas, estará lista para beber otra vez —dijo papá con expresión satisfecha.

—Vaya, eso es maravilloso. Nada menos que magia —exclamó Barcus—. Has salvado nuestro hermoso estanque. No me dijiste que tu papá hacía milagros, Charlie. Tres hurras para papá Small, el héroe del momento —gritó—. Hip, hip...

—¡HURRA PARA PAPÁ SMALL! —gritaron todos los tejones.

Cuatro fornidos tejones levantaron a papá del suelo y lo llevaron hasta la aldea de las ratas sobre sus hombros.

«Un momento —me dije, al ver que me habían dejado solo al lado del estanque—. ¡Papá no ha hecho nada extraordinario! Soy yo quien ha ayudado a expulsar a las ratas. ¿No debería ser yo el héroe del momento?» Genial.

La fiesta de la victoria

Cuando hubimos enjaulado y cargado en la carreta a las ratas, y regresamos a la madriguera de los tejones, el sol ya se estaba poniendo y yo estaba agotado. Pero los tejones no tenían ganas de irse a dormir. Querían celebrar la victoria, y al cabo de un momento la sala principal de la madriguera se llenó de comida y de bebida.

Presenté a papá a Renacuajo, que corrió a saludarme con su osito de peluche en cuanto llegamos al campamento. Se abrazó a mis piernas soltando chillidos mientras yo le acariciaba la cabeza.

Papá estaba perplejo.

—¿Todo esto está sucediendo de verdad, Charlie? —me preguntó mientras aceptaba la taza de té de brotes tiernos que le ofrecía uno de los tejones—. ¿O es que estoy completamente chiflado?

—Oh, claro que está sucediendo de verdad —respondí, sonriendo—. Ve a buscar un poco de comida y te contaré mis aventuras. Y tú podrás contarme las tuyas.

Un grupo de tejones se puso a tocar en unas guitarras de aspecto rústico y unos cuantos se pusieron a bailar. Papá y yo nos sentamos en un rincón tranquilo, y Renacuajo corrió a unirse a los bailarines. Allí le conté todas mis aventuras desde el principio hasta el final, y él me estuvo mirando en silencio y con expresión de asombro durante todo el rato.

—Pero si solo hace una hora o así que te has ido de casa —dijo, llenándose la boca de larvas crujientes.

—Sí, lo sé. Estamos en una dimensión temporal distinta, papá. Estamos en un mundo completamente nuevo —le expliqué—. Bueno, ¿cómo llegaste aquí?

—Eso es lo extraño —respondió papá—. No estoy del todo seguro. Llegué a casa después de trabajar y mamá me dijo que el té tardaría un poco, así que fui a limpiar el jardín. Saqué todas las hojas del estanque de peces y las llevé al montón de materia compostable...

—¿Y qué sucedió? —pregunté, ansioso—. ¿Qué sucedió cuando llegaste al montón de materia compostable?

Papá dio un buen mordisco al pastel que tenía en su plato y se quedó con los ojos fijos en el vacío, intentando recordar.

—Mmm, esto es delicioso, Charlie. Quizá les podamos pedir la receta a los tejones. ¿Qué lleva?

—¡Gusanos! —dije, y papá se atragantó.

—¿Es que intentas envenenarme, Charlie? —dijo, escupiendo el pastel.

Receta
del pastel de gusanos

para papá Small de Barcus, con su agradecimiento

Para la masa:
200 g de harina
100 g de mantequilla
Un pellizco de sal

1. Verter la harina y la sal en un cuenco y mezclarle la mantequilla hasta que se consiga una masa quebradiza.

2. Añadir 2 cucharadas de agua fría y mezclar.

3. Hacer una bola con la masa.

4. Extender la masa y colocarla en una bandeja para horno.

Para el relleno:
900 g de gusanos frescos (muertos)
1 cebolla
1 puñado de hierbas del bosque
1 botella de cerveza de tejón

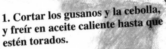

1. Cortar los gusanos y la cebolla, y freír en aceite caliente hasta que estén torados.

2. Añadir la cerveza y las hierbas. Llevar a ebullición y dejarlo 30 minutos.

3. Poner el relleno sobre la masa de la bandeja. Cubrir el pastel con masa y cocer en el horno a media potencia durante 1 hora.

(Puede causar retortijones de estómago y mucha escasez de papel higiénico)

–Son perfectamente comestibles, papá. Los he comido a montones –suspiré–. Bueno, volvamos a lo del montón de materia compostable…

—Ah, sí —dijo—. Ahora lo recuerdo. ¡Mientras echaba las hojas al montón, resbalé y caí de cabeza al suelo!

—¡Debía de apestar! —reí.

—Mmm, no tanto —repuso papá, mirándome con reprobación—. Pero lo raro fue que no paraba de caer. Atravesé el montón compostable y pasé por una apertura que había en el suelo. Caí por un agujero y llegué hasta el fondo.

—¡Estás bromeando! —exclamé.

—No, eso fue lo que sucedió, Charlie. Iba a trepar por las paredes del agujero para salir, creyendo que había caído en un pozo abandonado o algo parecido, cuando vi un túnel.

—Continúa —le animé. ¡Eso se ponía interesante!

Seguí el túnel hasta la puerta del jardín de al lado y continué y continué, hasta que me pareció que podía salir en medio de la ciudad. Ahora supongo que debía de tratarse de una alcantarilla inutilizada. Oía el ruido que hacían las ratas de cloaca por todas partes. Tú sabes que detesto a las ratas, Charlie, y justo cuando decidí que regresaba, vi una luz más adelante. Me apresuré hacia ella, desesperado por alejarme del ruido de esos roedores.

do, chillido, do, chillido, ch illido, chillido, chillido, ch

—¡Eso es increíble, papá! —exclamé.

Yo creía que esas cosas solo me pasaban a mí. ¡Quizá era algo que se llevaba en los genes de los Small!

—Tienes razón, es increíble —dijo papá—. Pensé que debía de estar sufriendo una pesadilla. El túnel terminaba en un rayo de luz procedente de arriba, y trepé hasta él. Al salir, me di cuenta de que estaba en el interior del tronco vacío de un árbol enorme. El rayo de luz procedía de una gran abertura que había a un lado del tronco, y rápidamente me colé por ella. ¡Así llegué al bosque! Estaba tan contento de haberme alejado de las ratas que me senté y respiré con fuerza. Imagínate mi horror cuando vi a una panda de las ratas más grandes que yo había visto en mi vida salir de entre los matorrales. ¡Y llevaban unas espadas en la mano!

—Dímelo a mí —dije—. ¡Lo mismo me sucedió a mí!

—Bueno, eso es todo. Me hicieron prisionero, me encadenaron y me convirtieron en el esclavo de esa asquerosa rata reina. ¡Ooh, le daría una buena paliza a esa bestia bravucona! —exclamó papá con un escalofrío.

—No pasa nada, ahora está bien encerrada —dije. Entonces se me ocurrió la idea más increíble y hermosa del mundo—. ¡Papá! —exclamé—. ¿Sabes dónde está ese árbol hueco?

—Bueno, está cerca de la aldea de las ratas —dijo él—. ¿Por qué?

—¡Porque si podemos encontrarlo, podremos regresar a casa! ¡Después de cuatrocientos años, podré llegar a casa a tiempo de merendar! ¡Yuu-pii!

De regreso a casa

Durante el resto del día, papá y yo estuvimos de celebración con los tejones, las liebres, los zorros y todos los demás animales que nos habían ayudado a acabar con la plaga de ratas. Aplaudimos las antiguas canciones de los tejones que cantó Barcus y la danza extraña y antigua que bailó Bella. Después de hartarnos de pastel y de la amarga y negra cerveza de los tejones, nos tumbamos y estuvimos durmiendo horas y horas y horas. Por la mañana, después de escribir mi diario, y cuando todavía tenía los ojos somnolientos, Barcus y Renacuajo se prestaron a ayudarnos a buscar el gran árbol hueco que quizá podía hacernos regresar a casa.

Cuando salimos de la madriguera, me llevé una maravillosa sorpresa. Por primera vez desde mi llegada, el bosque estaba lleno del canto de los pájaros. Oí un pájaro carpintero golpear un árbol en la distancia y una ardilla pasó corriendo por delante de nosotros. Los animales estaban regresando a sus casas.

Pero encontrar el árbol hueco de papá no era fácil. ¡Era como buscar una aguja en un pajar! Había millones de árboles en el bosque… y miles de ellos estaban huecos. De vez en cuando papá gritaba:

–¡Aquí! ¡Es este!

Y todos corríamos y nos metíamos dentro, pero enseguida nos dábamos cuenta de que no era el que buscábamos.

Yo empezaba a perder las esperanzas de encontrarlo cuando, de repente…

–Chiiiipchiiiipchiiip –gritó Renacuajo, corriendo a toda velocidad hacia un árbol que se encontraba en el lado norte de la aldea de las ratas.

Renacuajo se introdujo en él y, cuando metimos la cabeza dentro, al cabo de tres segundos, ¡Renacuajo ya no estaba allí!

¡Chiip!

—¡Renacuajo! —grité con todas mis fuerzas.

—¡Chiip! —oí muy flojito a la altura de mis pies.

Apartamos las hojas secas del interior del tronco y vimos un enorme agujero en el suelo, medio cubierto de ramitas y de maleza del bosque.

—¡Lo ha encontrado! —gritó papá, mientras Renacuajo sacaba el hocico largo y aterciopelado por el agujero y salía fuera del árbol—. ¡Charlie, podemos irnos a casa!

Hicimos una gran marca en el árbol y fuimos a recoger nuestro equipaje. Llevé a papá a mi refugio del árbol, donde había dejado algunas cosas. Papá detestaba las alturas, y en ese momento soplaba un viento que hacía que el refugio se meciera sobre las ramas del árbol. Papá se sujetó a la barandilla del balcón y se puso muy pálido.

—¿Cómo demonios conseguiste vivir aquí? —preguntó.

Parecía que iba a marearse de un momento a otro.

—Es genial, papá —le dije—. ¡Fíjate qué vistas tan impresionantes!

Papá miró hacia el mar y vio que el horizonte se inclinaba primero hacia un lado y luego hacia otro, pues el árbol se movía sin parar.

—Tengo que bajar de aquí, Charlie —exclamó—. ¡Ahora!

Cuando llegamos al árbol hueco, todos los tejones nos esperaban para despedirnos.

—Nunca podremos agradecerte toda la ayuda que nos has prestado, papá Small —dijo Barcus, dándonos un solemne apretón de manos.

—No ha sido nada —dijo papá.

«Ya estamos otra vez», pensé. ¡Si no había hecho más que lanzar unas cuantas pastillas al estanque!

Entonces Barcus me llevó a un lado y me dijo:

—Sabemos muy bien todo lo que te debemos, Charlie. Ahora podremos regresar a las madrigueras de nuestros antepasados gracias a ti. Todos los tejones quisiéramos que aceptaras esto como muestra de nuestra eterna gratitud —dijo, ofreciéndome la corona de la rata reina.

La corona estaba hecha de latas oxidadas y tenía un montón de pastillas a medio mascar y de trozos de cristal incrustados, pero era muy bonita. La conservaría como recuerdo de mis fantásticas aventuras en el bosque de las calaveras.

Le di un gran abrazo a Renacuajo, que había empezado a lloriquear. Si no nos dábamos prisa, me haría llorar a mí también.

—Vamos, papá —dije, sentándome en el borde

del agujero del tronco—. Adiós a todos.

Me impulsé hacia delante y aterricé en el túnel que papá había descrito. Al cabo de un segundo él llegó a mi lado.

Los ruidos del bosque llegaban amortiguados al túnel y, cuando nos pusimos a caminar, enmudecieron por completo. Saqué la linterna de mi mochila y la encendí. El corazón me latía con fuerza al pensar que estaba regresando a casa.

—¿Estás seguro de que llevas suficientes cosas en esa mochila? —preguntó papá.

—Todo lo que necesito —respondí, sonriendo—. Vamos, papá, démonos prisa. No puedo creer que ya casi estemos en casa. Y tengo hambre.

—Yo también —dijo papá—. ¡Me pregunto qué habrá preparado mamá para acompañar el té!

¡En casa, por fin!

Mientras avanzábamos por el túnel, empezó a pasar algo curioso. El túnel se cerraba a nuestras espaldas, como si una enorme fuerza apretara la tierra, como si fuera plastilina. No había forma de volver al bosque, y el pasillo, al cerrarse tan deprisa, nos apremiaba a correr hacia delante. Por fin, llegamos al final y nos encontramos en el fondo de un largo pozo. Un pequeño círculo de luz brillaba sobre nuestras cabezas.

—No sé cómo vamos a trepar, Charlie —dijo papá—. Las paredes son muy lisas.

—No hay problema —dije, sacando el lazo de mi mochila—. ¡Aparta, papá!

Hice girar el lazo sobre mi cabeza y lo lancé. La cuerda voló por el aire y atrapó una enorme piedra que sobresalía en la pared, cerca del borde del pozo. Di un fuerte tirón para comprobar que la sujeción era segura y luego le di el extremo de la cuerda a papá.

—Tú primero —dije.

Me sentía muy emocionado. ¡Después de cuatrocientos años, ya casi estaba en casa! Y, además, papá sabía todo lo referente a mis increíbles escapadas. Reí para mis adentros. Nunca más podría reñirme. ¡Qué divertido!

Papá trepó por la cuerda y salió fuera del pozo. Yo lo seguí rápidamente, ¡y pronto me encontré en medio del montón compostable del jardín de mi casa! Ahí estaba mi casa, y la ventana de mi habitación… y mamá estaba en la puerta de la cocina. ¡Estaba tan contento de verla!

—Ya era hora —gritó, secándose las manos en un paño—. El té ya casi está listo, así que id a lavaros las manos, los dos.

¡Era como si no me hubiera ido nunca!

Me agaché para recoger mi lazo y me lo colgué del hombro. ¡Uau! La boca del pozo se había cerrado por completo. Miré a papá para decírselo. Él estaba de espaldas a mí y miraba hacia el cielo rascándose la cabeza.

—Papá… —empecé a decir.

Él se dio la vuelta. Me miró con la misma expresión de confusión que tenía cuando me vio en la choza de la reina rata.

—¿Qué, Charlie? —dijo.

—El agujero ha desaparecido —dijo—. ¡El agujero que conduce al bosque!

—¿Qué agujero? ¿Qué bosque? ¿De qué estás hablando? —preguntó, sorprendido.

Le miré a los ojos y, de repente, me di cuenta: ¡no recordaba nada de nuestras aventuras!

—De nada, papá —dije un poco triste.

—Buen chico. Corre. Yo iré enseguida. Quiero terminar de amontonar el material compostable. ¡Parece estar peor que cuando empecé a hacerlo! —dijo, dándome la espalda.

Oh, bueno. ¡Estaba claro que todo había vuelto a la normalidad!

¡Allá voy otra vez! ¡Uyy!

Corrí a la cocina. Mamá acababa de poner un pote a hervir en el fuego.

—¡Ya estoy aquí, mamá! —grité, dándole un enorme abrazo.

¡Estaba tan contento de estar en casa después de tanto tiempo!

—Ya lo veo —dijo mamá, sonriendo—. Oh, Charlie, mira cómo vas. ¿Dónde has estado?

—Oh, no te lo creerías, mamás. He luchado contra monstruos; he volado con una lechuza gigante; he vencido a un ejército de ratas y he robado un banco. ¡He hecho de todo!

—Eso parece, por tu aspecto —dijo mamá—. ¿Y has traído la leche que te pedí?

—¿Eh? Oh, vaya. Iré a buscarla ahora.

—Será mejor que te cambies de ropa primero. ¡Parece que te hayas arrastrado por debajo de los matorrales!

—Vale, mamá —dije.

Pasé por su lado y cogí un par de magdalenas que se estaban enfriando sobre la encimera de la cocina. Me metí una de ellas en la boca y saboreé su delicioso sabor a mantequilla mientras abría la puerta de mi habitación.

Era raro volver a estar en casa después de tanto tiempo. Esperaba que las cosas hubieran cambiado, pero todo continuaba igual. Mi ordenador, mis juegos y mis libros estaban exactamente igual que los había dejado. Entonces miré el calendario que tenía colgado en la pared y vi que era lunes. ¡Oh, vaya: la escuela! No me sentía preparado para regresar a la escuela. Sí, había tenido cuatrocientos años de vacaciones, pero ¡no me parecía tiempo suficiente! ¿Había hecho los deberes? No lo recordaba.

¡Mmm! Una de las magdalenas de mamá

Era genial estar en casa de nuevo, pero también era un poco decepcionante. Echaría de menos a todos los amigos que había hecho en el extraño mundo de las aventuras. Me pregunté qué estarían haciendo Jakeman y Philly. ¿Cómo estarían mis amigos del Mundo Subterráneo? ¿Habrían llegado las perfumadas piratas a tierra firme? «Oh, bueno —pensé—. Supongo que no lo sabré nunca.»

Me puse un pantalón vaquero limpio y una camiseta. Me colgué la mochila a la espalda y, deslizándome por la barandilla de la escalera, bajé al vestíbulo. ¡En cuanto hubiera ido a buscar la leche podría disfrutar del té de mamá! Deseé que no hubiera preparado un pastel de gusanos… ¡ya había tenido bastante de eso!

—No tardes, cariño —dijo Mamá—. Papá se está lavando las manos y yo estoy a punto de servir el té.

—¡Vale! —respondí en voz alta.

Salí corriendo por la calle en dirección a la tienda de la esquina. Al cabo de un instante ya regresaba con la leche. Recorrí a toda velocidad el camino de nuestra casa y entré por el jardín trasero.

—¡Uuf! Perdona, papá —dije.

—Deberías mirar por dónde vas —me dijo alguien con voz profunda mientras me ponía unas enormes manos sobre los hombros.

—¡Uau! ¿Quién eres? —grité, intentando soltarme, pero el hombre me sujetaba con fuerza—. Suéltame. ¿Quién eres? —grité.

Miré al desconocido y vi su rostro por primera vez. ¡Se me heló la sangre en las venas!

—¡Te tengo! —se burló el hombre.

¡Atrapado!

—¡Suéltame mmm! —grité, pero mi asaltante me tapó la boca con la mano.

—¡Te dije que te seguiría hasta el último confín del mundo, Charlie Small, y siempre cumplo mis promesas! —rugió el hombre—. Te dije que te haría colgar, y eso es lo que pienso hacer. ¡Vas a venir conmigo, chico!

¡No me lo podía creer: era Joseph Craik, el enemigo mortal que había hecho durante mis

aventuras! Era un cazarrecompensas, un ladrón, un timador y un desgraciado inútil también conocido como «La Sombra». ¿Qué demonios estaba haciendo aquí?

—¿Adónde me llevas? —grité, debatiéndome con todas mis fuerzas.

—Al sitio al que perteneces, Charlie.

Craik sonrió al ver que yo miraba con desesperación hacia mi casa, esperando que mamá o papá salieran corriendo en mi rescate. Pero la casa estaba tranquila y no se movía ni una cortina.

—¡Suéltame, canalla! —bramé.

—¡Nunca! Vas a pagar por todos los problemas que me causaste —dijo mi viejo enemigo mientras me empujaba por la calle.

Miré, horrorizado, a la gente y a los coches que había a mi alrededor. Todo se había detenido, como si se hubiera parado el tiempo. Era como estar dentro de una película puesta en modo de pausa.

¡Oh, rayos y centellas! Esto es terrible. Acabo de regresar a casa y este rufián me ha raptado. ¡Socorro, que alguien me ayude!

¡SOCORRO!

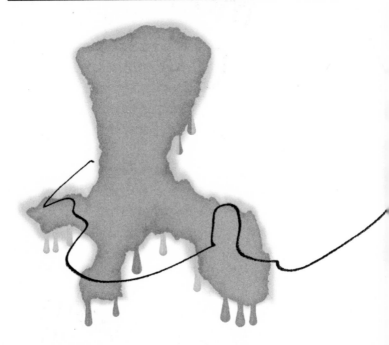

¿Adónde me lleva Craig?

¡Charlie Small ha estado aquí!

Mis peores enemigos desde
que mis aventuras empezaron son
(de momento):

1. El rey de las marionetas

2. Joseph Craik, ¡nunca se da por vencido!

3. El potentado de Mayazapan

4. ¡Las ratas gigantes!

5. Porrazo/Horatio Ham

6. La capitana Cortagargantas

¡Cuidado, hay
una rata
gigante
detrás de ti!

¡Tengo que escapar de Craik!
¡Por fin te tengo!
¡Oh, oh!
¿Dónde están los tejones cuando los necesitas?
¡Aaaargh!

Me pregunto dónde
estará Renacuajo.

¡Echaré de menos
a ese pequeño chillón!

¡Esto **no** ~~es el fin~~!

es el fin!

Es una promesa,
Charlie Small

Descubre
otros diarios de
Charlie
Small

Diario
de
Charlie
Small

LAS PIRATAS DE
LA ISLA PERFIDIA

pirueta

Diario de Charlie Small

EL REY DE LAS MARIONETAS

pirueta

Diario
de
Charlie
Small

EL DESFILADERO CONGELADO

pirueta

Diario
de
Charlie
Small

LA TUMBA DE LA MOMIA

pirueta

[10]